SEARA DOS MÉDIUNS

Francisco Cândido Xavier

SEARA DOS MÉDIUNS

Estudos e dissertações em torno da substância religiosa
de *O livro dos médiuns*, de Allan Kardec

Pelo Espírito
Emmanuel

FEB

Copyright © 1961 *by*
FEDERAÇÃO ESPÍRITA BRASILEIRA – FEB

20ª edição – 18ª impressão – 2 mil exemplares – 6/2024

ISBN 978-85-7328-750-9

Todos os direitos reservados. Nenhuma parte desta publicação pode ser reproduzida, armazenada ou transmitida, total ou parcialmente, por quaisquer métodos ou processos, sem autorização do detentor do *copyright*.

FEDERAÇÃO ESPÍRITA BRASILEIRA – FEB
SGAN 603 - Conjunto F - Avenida L2 Norte
70830-106 – Brasília (DF) – Brasil
www.febeditora.com.br
editorial@febnet.org.br
+55 61 2101 6161

Todo o papel empregado nesta obra possui certificação FSC® sob responsabilidade do fabricante obtido através de fontes responsáveis.
* marca registrada de Forest Stewardship Council

Pedidos de livros à FEB
Comercial
Tel.: (61) 2101 6161 – comercial@febnet.org.br

Adquirindo esta obra, você está colaborando com as ações de assistência e promoção social da FEB e com o Movimento Espírita na divulgação do Evangelho de Jesus à luz do Espiritismo.

Dados Internacionais de Catalogação na Publicação (CIP)
(Federação Espírita Brasileira – Biblioteca de Obras Raras)

E54s   Emmanuel (Espírito)
        Seara dos médiuns: estudos e dissertações em torno da substância religiosa de *O livro dos médiuns*, de Allan Kardec / pelo Espírito Emmanuel; [psicografado por] Francisco Cândido Xavier. – 20. ed. – 18. imp. – Brasília: FEB, 2024.

        264 p.; 21cm – (Coleção Estudando a Codificação)

        Inclui índice geral

        ISBN 978-85-7328-750-9

        1. Kardec, Allan, 1804–1869. *O livro dos médiuns*. 2. Espiritismo. 3. Obras psicografadas. I. Xavier, Francisco Cândido, 1910–2002. II. Federação Espírita Brasileira. III. Título. IV. Coleção.

                                                  CDD 133.93
                                                  CDU 133.7
                                                  CDE 80.03.00

Sumário

Seara dos médiuns 9
1   Num século de Espiritismo 11
2   Cartão de visita 13
3   Ensino espírita 15
4   Ante a mediunidade 17
5   Curiosidade 21
6   O argumento 25
7   Companheiros 29
8   Conhecimento superior 31
9   No campo doutrinário 33
10   Em tarefa espírita 37
11   Fome e ignorância 41
12   Na mediunidade 45
13   Em serviço mediúnico 47
14   Oração e cura 51
15   Três atitudes 53
16   Força mediúnica 57
17   Na glória do Cristo 61
18   Obsessão e Jesus 65
19   Espíritos da luz 69
20   Eles também 73
21   Pequeninos, mas úteis 77
22   Muito desejo 81
23   Obsessores 85
24   Alegas 89
25   Imperfeições 91

26	Fenômenos e livros	93
27	Palavra	95
28	Trabalhemos	99
29	Aviso, chegada e entendimento	101
30	Essas outras mediunidades	105
31	Mediunidade e privilégios	109
32	Médium inesquecível	113
33	Incrédulos	117
34	Desertores	119
35	Caridade e tolerância	121
36	Tua parte	125
37	Dever espírita	127
38	Faixas	131
39	Interpretação	133
40	Verbo e atitude	137
41	Formação mediúnica	141
42	Mediunidade e imperfeição	143
43	Mediunidade e alienação mental	145
44	Ser médium	149
45	Imagina	151
46	União	153
47	Clarividência	155
48	Faculdades mediúnicas	159
49	Tesouros ocultos	161
50	Irmãos-problemas	163
51	Bons Espíritos	165
52	Pedidos	167
53	A escola do coração	169
54	Aptidão e experiência	171
55	Espíritos perturbados	173

56	O lado fraco	175
57	Futuro	177
58	Equipe mediúnica	179
59	Revelações e preconceitos	181
60	Problema contigo	183
61	Sintonia mediúnica	185
62	Discernimento	187
63	Jesus e livre-arbítrio	189
64	Livre-arbítrio e obsessão	191
65	Obrigação primeiramente	193
66	Obsessão e Evangelho	195
67	Mediunidade e doentes	199
68	Sabes	203
69	Atualidade espírita	205
70	Mediunidade e dúvida	207
71	Inspiração	209
72	Obsessão e cura	211
73	Aliança espírita	213
74	Eles sabem	215
75	Expliquemos	217
76	Ímã	221
77	Médiuns transviados	223
78	Fenômenos	225
79	Intuição	227
80	Em louvor da esperança	229
81	Ondas	231
82	Sobrevivência	233
83	Obreiros e instrumentos	235
84	Abençoa também	237
85	Diante dos outros	239

86	Pediste	241
87	Enfermagem do Espírito	243
88	Mediunidade e trabalho	245
89	Reforma íntima	247
90	Benfeitores desencarnados	249
Índice geral		251

Seara dos médiuns

Amigo leitor:
A Doutrina Espírita, em seu primeiro século, assemelha-se, de algum modo, à árvore robusta espalhando ramaria, flores, frutos e essências, em todas as direções.

Que princípios afins se lhe instalem nos movimentos, à maneira de aves tecendo ninhos transitórios nos galhos de tronco generoso, é inevitável; contudo, que os lavradores do campo lhe devem fidelidade e carinho, para que as suas raízes se mantenham puras e vigorosas, é outra proposição que não sofre dúvida.

Assim pensando, prosseguimos em nossos comentários humildes[1] da Codificação Kardequiana, apresentando, neste volume, o desataviado cometimento que nos foi permitido atender, no decurso das noventa reuniões públicas, nas noites de segundas e sextas-feiras, que tivemos a alegria de partilhar junto dos irmãos uberabenses, em 1960, na sede da Comunhão Espírita Cristã.

Dessa feita, O livro dos médiuns, que justamente agora, em 1961, está celebrando o primeiro centenário, foi objeto de nossa especial atenção.

---

[1] N.E.: *Religião dos espíritos* é o livro em que o autor espiritual comentou *O livro dos espíritos*, de Allan Kardec, nas reuniões públicas da Comunhão Espírita Cristã, em Uberaba, Minas Gerais.

Os textos em exame foram escolhidos pelos companheiros encarnados, em cada reunião, e, depois dos apontamentos verbais de cada um deles, articulamos as considerações aqui expressas que, em vários casos, fomos compelidos a deslocar do tema proposto, à face de acontecimentos eventuais, surgidos nas assembleias.

Algumas das páginas que ora reunimos foram publicadas em Reformador, o respeitado mensário da Federação Espírita Brasileira, e no jornal A Flama Espírita, da cidade de Uberaba. Esclarecemos, porém, que, situando aqui as nossas apreciações simples, na feição integral, com a ordem cronológica em que foram escritas e na relação das questões e respectivos parágrafos que O livro dos médiuns nos apresentava, efetuamos, pessoalmente, a total revisão de todas elas para o trabalho natural do conjunto.

Mais uma vez, asseguramos de público que o único móvel a inspirar-nos, no serviço a que nos empenhamos, é o de encarecer o impositivo crescente do estudo sistematizado da obra de Allan Kardec — construção basilar da Doutrina Espírita, a que o Evangelho de Nosso Senhor Jesus Cristo oferece cobertura perfeita —, a fim de que mantenhamos o ensinamento espírita indene da superstição e do fanatismo que aparecem, fatalmente, em todas as fecundações de exotismo e fantasia.

Esperando, pois, que outros seareiros venham à lide remediar-nos a imperfeição com interpretações e contribuições mais claras e mais eficientes em torno da palavra imperecível do grande codificador, de vez que os campos da Ciência e da Filosofia, nos domínios doutrinários do Espiritismo, são continentes de trabalho a se perderem de vista, aqui ficamos em nossa tarefa de apagado expositor da religião espírita, que é a religião do Evangelho do Cristo, para sublimação da inteligência e aprimoramento do coração.

EMMANUEL
Uberaba (MG), 1º de janeiro de 1961.

1
Num século de Espiritismo

Reunião pública de 4/1/60
Item 1

Num século inteiro de atividades, temos visto a Ciência procurando apaixonadamente as realidades do Espírito.
Provas indiscutíveis não lhe foram regateadas.
E tantas foram elas que Richet conseguiu articular, com êxito, as bases clássicas da Metapsíquica, usando recursos tão demonstrativos e convincentes quanto aqueles empregados na exposição de qualquer problema de Patologia ou Botânica.
Sábios distintos, entre os quais Wallace e Zöllner, Crookes e Lombroso, Myers e Lodge, mobilizando médiuns notáveis, efetuaram experiências de valor inconteste.
Entretanto, se, nos vinte lustros passados, a mediunidade serviu para atender aos misteres brilhantes da observação científica, projetando inquirições do homem para a Esfera Espiritual,

é justo satisfaça agora às necessidades morais da Terra, carreando avisos da Esfera Espiritual para o homem.

    Se o primeiro século de Doutrina Espírita viu realizações admiráveis, desde os cálculos profundos da Física Nuclear aos rudimentos da Astronáutica, surpreendeu, igualmente, calamidades terríveis, como sejam: as guerras de conquista e rapinagem, nas quais os campos de prisioneiros foram teatro para os mais hediondos espetáculos de barbárie e degradação em nome do Direito; a técnica na destruição de cidades em massa; as inquisições políticas à feição das antigas inquisições religiosas, amordaçando a liberdade de consciência; a proliferação das indústrias do aborto, às vezes com o amparo de autoridades respeitáveis; a onda crescente dos suicídios; o delírio dos entorpecentes; o abuso da hipnose; o lenocínio transformado em costume elegante da vida moderna; o aumento dos chamados crimes perfeitos, com manifesta perversão da inteligência, e a percentagem assustadora das moléstias mentais com alicerces na obsessão.

    Desse modo, não nos basta apenas um "espiritismo científico" que despenda indefinida cota de tempo, averiguando a sobrevivência do ser, além do sepulcro.

    Apesar da elevação de propósitos dos pesquisadores eminentes que tateiam os domínios da alma, não podemos esquecer a edificação do sentimento.

    É assim que, repetindo as lições do Cristo para o mundo atormentado, não nos achamos simplesmente diante de um "espiritismo social", mas em pleno movimento de recuperação da dignidade humana, porquanto, em verdade, perante o materialismo irresponsável a sombrear universidades e gabinetes, administrações e conselhos, laboratórios e templos, cenáculos e multidões, o Evangelho de Jesus, para esclarecimento do povo, tem regime de urgência.

2
Cartão de visita

Reunião pública de 8/1/60
Item 7

Em qualquer estudo da mediunidade, não podemos esquecer que o pensamento vige na base de todos os fenômenos de sintonia na esfera da alma.

Analisando-o, palidamente, tomemos a imagem da vela acesa, apesar de imprópria para as nossas anotações.

A vela acesa arroja de si fótons[2] ou força luminosa.

O cérebro exterioriza princípios inteligentes ou energia mental.

Na primeira, temos a chama.

No segundo, identificamos a ideia.

---

[2] N.E.: Na primeira edição, a palavra *fótons*, atualmente consagrada pelo uso, foi psicografada como *fotônios*.

Uma e outro possuem campos característicos de atuação, que é tanto mais vigorosa quanto mais se mostre perto do fulcro emissor.

No fundo, os agentes a que nos referimos são neutros em si.

Imaginemos, no entanto, o lume conduzido. Tanto pode revelar o caminho de um santuário, quanto a trilha de um pântano.

Tanto ajuda os braços do malfeitor na execução de um crime, quanto auxilia as mãos do benfeitor no levantamento das boas obras.

Verificamos, no símile, que a energia mental, inelutavelmente ligada à consciência que a produz, obedece à vontade.

E, compreendendo-se no pensamento a primeira estação de abordagem magnética, em nossas relações uns com os outros, seja qual for a mediunidade de alguém, é na vida íntima que palpita a condução de todo o recurso psíquico.

Observa, pois, os próprios impulsos.

Desejando, sentes.

Sentindo, pensas.

Pensando, realizas.

Realizando, atrais.

Atraindo, refletes.

E, refletindo, estendes a própria influência, acrescida dos fatores de indução do grupo com que te afinas.

O pensamento é, portanto, nosso cartão de visita.

Com ele, representamos ao pé dos outros, conforme nossos próprios desejos, a harmonia ou a perturbação, a saúde ou a doença, a intolerância ou o entendimento, a luz dos construtores do bem ou a sombra dos carregadores do mal.

3
Ensino espírita

Reunião pública de 11/1/60
Item 3

Se abraçaste na Doutrina Espírita o roteiro da própria renovação, em toda parte és naturalmente chamado a fixar-lhe os ensinos.

Administrador, não te limitarás ao controle de patrimônios físicos, porque saberás aplicá-los no bem de todos.

Legislador, não te guardarás na galeria dos privilégios, porque humanizarás os estatutos do povo.

Juiz, não te enquistarás na autoridade de convenção, porque serás em ti mesmo a garantia do Direito correto.

Médico, não estarás circunscrito ao órgão enfermo, porque auscultarás, igualmente, a alma que sofre.

Professor, não terás nos discípulos meros associados no estudo dos números e das letras, mas verdadeiros filhos do coração.

Negociante, não farás do comércio a feira dos interesses inferiores, mas a escola da fraternidade e do auxílio.

Operário, não furtarás o tempo, no exercício da rebeldia, mas vigiarás, satisfeito, o desempenho das próprias obrigações.

Lavrador, não serás sanguessuga insaciável da terra, mas recolher-lhe-ás os produtos, ajudando-a, nobremente, a reverdecer e florir.

Seja qual for a profissão em que te situes, vives convidado a enobrecê-la com o selo de tua fé, moldada nos valores humanos, porquanto, na responsabilidade espírita, toda ação no bem precisa ultrapassar o dever para que o ato de servir se converta em amor.

Hoje e agora, onde estivermos, segundo os nossos princípios, somos constantemente induzidos a lecionar disciplinas de entendimento e conduta.

Aqui é a solidariedade, ali é a fidelidade aos compromissos, adiante é a compreensão, mais além, é a renúncia...

Aqui é o devotamento ao trabalho, ali é a paciência, adiante é o perdão incondicional, mais além é o espírito de sacrifício...

Doutrina Espírita, na essência, é universidade de redenção.

E cada um de seus profitentes ou alunos, por força da obrigação no burilamento interior, é obrigado a educar-se para educar.

É por isso que, se lhe esposaste as tarefas, seja esse ou aquele o setor de tuas atividades, estarás, cada dia, ensinando o caminho da elevação, na cadeira do exemplo.

4
Ante a mediunidade

Reunião pública de 15/1/60
Item 30

No trato da mediunidade, não andemos à cata de louros terrestres, nem mesmo esperemos pelo entendimento imediato das criaturas.

Age e serve, ajuda e socorre sem recompensa.

Recordemos Jesus e os fenômenos do espírito.

Ainda criança, ele se submete, no templo, ao exame de homens doutos que lhe ouvem o verbo com imensa admiração, mas a atitude dos sábios não passa de êxtase improdutivo.

João Batista, o amigo eleito para organizar-lhe os caminhos, depois de vê-lo nimbado de luz, em plena consagração messiânica, ante as vozes diretas do Plano Superior, envia mensageiros para lhe verificarem a idoneidade.

Dos nazarenos que lhe desfrutam a convivência, apenas recebe zombaria e desprezo.

Dos enfermos que lhe ouvem o sermão do monte, buscando tocá-lo, ansiosos, na expectativa da própria cura, não se destaca um só para segui-lo até a cruz.

Dos setenta discípulos designados para misteres santificantes, não há lembrança de qualquer deles na lealdade maior.

Dos seguidores que comeram os pães multiplicados, ninguém surge perguntando pelo burilamento da alma.

Dos numerosos doentes por Ele reerguidos à bênção da saúde, nenhum aparece, nos instantes amargos, para testemunhar-lhe agradecimento.

Nicodemos, que podia assimilar-lhe os princípios, procura-lhe a palavra na sombra noturna sem coragem de liberar-se dos preconceitos.

Dos admiradores que o saúdam em regozijo, na entrada triunfal em Jerusalém, não emerge uma voz para defendê-lo das falsas acusações perante a justiça.

Judas, que lhe conhece a intimidade, não hesita em comprometer-lhe a obra diante dos interesses inferiores.

Somente aqueles que modificaram as próprias vidas foram capazes de refleti-lo na glória do apostolado.

Pedro, fraco, fez-se forte na fé e, esquecendo a si mesmo, busca servi-lo até a morte.

Maria de Magdala, tresmalhada na obsessão, recupera o próprio equilíbrio e, apagando-se na humildade, converte-se em mensageira de esperança e ressurreição.

Joana de Cusa, amolecida no conforto doméstico, olvida as conveniências humanas e acompanha-lhe os passos sem vacilar no martírio.

Paulo de Tarso, o perseguidor, aceita-lhe a palavra amorosa e estende-lhe a Boa-Nova em suprema renúncia.

Não detenhas, assim, qualquer ilusão à frente dos fenômenos medianímicos.

Encontrarás sempre, e por toda a parte, muitas pessoas beneficiadas e crentes como testemunhas convencidas e deslumbradas diante deles; mas apenas aquelas que transfiguram a si mesmas, aperfeiçoando-se em bases de sacrifício pela felicidade dos outros, conseguem aproveitá-los no serviço constante em louvor do bem.

5
Curiosidade

Reunião pública de 18/1/60
Item 31

A curiosidade, quando respeitável, é princípio da Ciência, mas somente princípio. Sem trabalho perseverante, assemelhar-se-ia, decerto, ao primeiro passo de uma longa excursão, interrompida no limiar.

E observando-se que o progresso é obra de todos, é preciso que o seareiro da ação palmilhe a senda dos precursores para realizar o serviço que lhe compete.

Colombo descobre as terras do Novo Mundo, depois de anotar os apontamentos de Perestrelo.

Planté articula os acumuladores de eletricidade sob a forma de energia química, mas toma por base a pilha de Volta.

Marconi, para alcançar o telégrafo sem fios, utiliza as experiências de Branly.

Pasteur demonstra definitivamente a origem microbiana das doenças infecciosas, precedido, porém, por Davaine e outros.

Para tudo isso, no entanto, não se imobilizam em poltronas de sonho, nem param à frente de esboços.

Lutam e sofrem, gastando fósforo e tempo.

* * *

Por outro lado, é imprescindível reconhecer que a curiosidade, ante o deslumbramento, é qual semente de árvore destinada a bons frutos, conservada, porém, sob uma campânula de vidro.

Imaginemos um índio, habituado aos sons da inúbia e do boré, que aspirasse a conhecer melodias mais elevadas.

Apresentar-lhe, só por isso, uma partitura de Beethoven seria o mesmo que propor a filosofia de Spinosa a uma criança de berço.

Antecedendo a conquista, é imperioso que a educação lhe administre o solfejo na iniciação musical.

* * *

Não esperes, assim, que os Espíritos angélicos venham ferir-nos o aprendizado.

Quaisquer recursos demasiado transcendentes que nos trouxessem serviriam apenas como fatores de encantamento inútil, à maneira de fogos de artifício, tumultuando a emoção dos meninos necessitados da escola.

Da pedra ao micróbio, do micróbio ao verme, do verme ao homem e do homem à estrela, o Universo é todo um conjunto de soberbos fenômenos, desafiando-nos o conhecimento e a interpretação.

Também, na mediunidade, não aguardes concessões de pechincha.

Há, nos reinos do espírito, leis e princípios, novas revelações e novos mundos a conquistar.

Isso, entretanto, exige, antes de tudo, paciência e trabalho, responsabilidade e entendimento, atenção e suor.

6
O argumento

Reunião pública de 22/1/60
Item 29

Ante os amados que te não compreendem, estimarias que todos cressem conforme crês.
Alguns jazem desesperados nas trevas do pessimismo.
Outros caem, pouco a pouco, no abismo da negação.
Há muitos que te lançam insulto em rosto, como se a tua convicção fosse passo à loucura.
E surpreendes, em cada canto, aqueles que te falam pelo diapasão da ironia.
Mergulhas-te, muitas vezes, no oceano revolto das palavras veementes que os opositores, de imediato, não podem admitir; em outras ocasiões, desejas acontecimentos inusitados que lhes alterem o modo de pensar e de ser.

* * *

Entretanto, recordemos o Cristo.

Ninguém, quanto ele, deixou na retaguarda tantas demonstrações de poder celeste.

Deu nova estrutura à forma dos elementos.

Apaziguou as energias desvairadas da Natureza.

Reaqueceu corpos que a morte imobilizava.

Restituiu a visão aos cegos.

Restaurou paralíticos.

Limpou feridentos.

Curou alienados mentais.

Operou maravilhas somente atribuíveis à Ciência Divina.

Contudo, não foi pelos deslumbramentos produzidos que se converteu em mentor excelso da Humanidade.

Jesus agiganta-se, na esteira dos séculos, pela força do exemplo.

Anjo — caminhou entre os homens.

Senhor do mundo — não reteve uma pedra para repousar a cabeça.

Sábio — foi simples.

Grande — alinhou-se entre os pequenos.

Juiz dos juízes — espalhou a misericórdia.

Caluniado — lançou bênçãos.

Traído — não reclamou.

Acusado — humilhou a si mesmo.

Ferido — esqueceu toda ofensa.

Injuriado — silenciou.

Crucificado — pediu perdão para os próprios verdugos.

Abandonado — voltou para auxiliar.

* * *

Ação é voz que fala à razão.

Se aspiras, assim, a convencer os que te rodeiam, quanto à verdade, não olvides que, acima de todos os fenômenos passageiros e discutíveis, o único argumento edificante de que dispões é o de tua própria conduta, no livro da própria vida.

7
Companheiros

Reunião pública de 25/1/60
Item 28: 1, 2 e 3

Há muitos companheiros realmente assim...
Declaram-se espíritas.
Proclamam-se convencidos quanto à sobrevivência.
Relacionam casos maravilhosos.
Exibem apontamentos inatacáveis.
Referem-se, frequentemente, aos sábios que pesquisaram as forças psíquicas.
Andam de experiência em experiência.
Fitam médiuns como se vissem animais raros.
Não alimentam dúvidas quanto aos fatos inabituais no seio da própria família, mas desconfiam das observações nascidas no lar de outrem.
Conversadores primorosos.

Anedotistas notáveis.
Mas não mostram mudança alguma.
São na convicção o que eram na negação.
Nobres expoentes de cultura intelectual, não estendem migalha de conhecimento superior a quem quer que seja.
Detentores de vantagens humanas, não se dignam a ajudar ninguém.

* * *

Felizmente, contudo, temos os companheiros da luta incessante.
Afirmam-se também espíritas.
Mas compreendem que o fenômeno, diante da verdade, pode ser considerado à feição de casca no fruto.
Têm os médiuns como pessoas comuns, necessitadas de entendimento e de auxílio.
Sabem que a existência na Terra é como estágio na escola.
E, por isso, não perdem tempo.
Moram no trabalho constante.
Indulgentes para com todos e severos para consigo mesmos.
Aceitam a justiça perfeita, através reencarnação, e acolhem no sofrimento o curso preciso ao burilamento da própria alma.
Verificam que o erro dos outros podia ser deles próprios e, em razão disso, não perdem a paciência.
Reconhecendo-se imperfeitos, perdoam, sem vacilar, as imperfeições alheias.
E vivem a caridade como simples dever, aprendendo e servindo sempre.
São esses que Allan Kardec, em sua palavra esclarecida, define como sendo "os espíritas verdadeiros, ou melhor, os espíritas--cristãos".

8
Conhecimento superior

Reunião pública de 29/1/60
Item 28: 4

Na aquisição do conhecimento superior, não acredites que o deslumbramento substitua o trabalho.

Nem julgues que o benfeitor espiritual, por mais amigo, possa efetuar a obra que te compete.

O professor esclarece.

O aluno, porém, deve equacionar os problemas da escola.

O médico auxilia.

O doente, contudo, deve atender-lhe as indicações.

Toda realização pede esforço.

Toda construção pede tempo.

* * *

Repara a árvore educada que se fez preciosa.
É um monumento de beleza e vitalidade.
Grandes raízes garantem-lhe a existência.
Tronco robusto resiste à força do vento.
Galhos crescem, enormes, ajudando a quem passa.
Flores surgem, desafiando geômetras e pintores.
Frutos aparecem, ricos de suco nutritivo.
Fibras e folhas, seiva e perfume completam-lhe a respeitabilidade e a grandeza.

Lembremo-nos, no entanto, de que o prodígio, atingindo, às vezes, centenas ou milhares de quilos, estava contido, em essência, na semente pequenina de apenas alguns gramas.

Entretanto, se alguém não houvesse cultivado a semente minúscula, consagrando-lhe atenção e trabalho no curso dos dias, a árvore magnificente não se teria consolidado, afirmando-se em madureza e cooperação.

* * *

Agradece, pois, o carinho dos Espíritos generosos, encarnados ou desencarnados, que te amparam a experiência, aplicando-te às lições de que são mensageiros.

Não admitas, contudo, que a presença deles te baste ao aprimoramento individual.

Recorda que nem os companheiros da glória do Cristo escaparam ao impositivo do serviço constante.

Os apóstolos que lhe respiraram a convivência não repousam ante as flamas do Pentecostes, mas seguem luta diante, de renúncia em renúncia, adquirindo pouco a pouco a grande libertação, e Saulo de Tarso, visitado pelo próprio Mestre, em pessoa, não para sob o jorro solar da senda de Damasco, mas avança, de suplício em suplício, assimilando, a preço de sofrimento, o dom da Divina Luz.

9
No campo doutrinário

Reunião pública de 1/2/60
Item 25

Encontrarás no caminho os companheiros que não conseguiram guardar o talento mediúnico na altura que a responsabilidade lhes conferiu.

À maneira dos que não sabem viver retamente, quando chamados à mordomia do ouro ou ao cetro do poder, desequilibram-se mentalmente, criando para si próprios o labirinto em que se desvairam.

Começam abandonando a disciplina profissional, que julgam vexatória.

Debandam de pequeninos deveres familiares que, naturalmente cumpridos, formam o alicerce das tarefas maiores.

E transformam-se em joguete da fascinação que os inutiliza.

Julgam-se, então, mensageiros especiais.

Ausentam-se deliberadamente do estudo.
Abraçam exotismos contundentes.
Acreditam-se na condição de intérpretes das mais altas personalidades da História.
Não admitem advertências.
Supõem dominar o passado e o futuro.
Profetizam.
Pontificam.
Mas, detendo exagerada conceituação de si mesmos, não percebem que se fazem marginais, cristalizados em longos processos obsessivos, aos quais atraem amigos invigilantes para deslumbrá-los, a princípio, e arrojá-los, depois, à desilusão.

* * *

Em verdade, não podemos evitar que irmãos nossos se prendam a semelhantes situações perigosas e lastimáveis.

Se outras formações religiosas vivem juguladas pela autoridade terrestre que lhes frena os impulsos, encontramos na Doutrina Espírita o pensamento claro e espontâneo da fé viva, favorecendo sementeiras e searas preciosas do livre-arbítrio.

Diante, pois, dos amigos que não souberam situar os compromissos medianímicos em lugar justo, observemos quão duro será, para nós, desertar do serviço constante no burilamento interior, aprendendo, ao mesmo tempo, nos desajustes que mostram, tudo aquilo que nos cabe evitar.

Em seguida, se possível, ajudemo-los com a palavra evangélica; entretanto, se essa medida não pode ser posta em prática, à face das circunstâncias que nos obrigam a emudecer, lembremo-nos de que é nossa obrigação trabalhar sempre mais, na expansão de nossos princípios, para que se faça luz nos corações e nas consciências.

E caminhemos adiante no esforço de tudo melhorar cada dia com a certeza de que, segundo o Cristo, cada criatura, hoje e sempre, onde estiver, receberá invariavelmente de acordo com as suas obras.

10
Em tarefa espírita

Reunião pública de 5/2/60
Item 30

Abraçando na Doutrina Espírita o clima da própria fé, lembra-te de Jesus, à frente do povo a que se propunha servir.

Não se localiza o Divino Mestre em tribuna garantida por assessores plenamente identificados com os seus princípios.

Ele é alguém que caminha diante da multidão.

Chama açoitada pela ventania das circunstâncias adversas...

Árvore sublime batida pelas varas da exigência incessante...

Ninguém o vê rodeado de colaboradores completos, mas de problemas a resolver.

E, renteando com os doentes e aflitos que lhe solicitam apoio, todas as personalidades que lhe cruzam a senda representam atitudes diversas, reclamando-lhe paciência.

João Batista duvida.

Natanael questiona.
Nicodemos indaga.
Zaqueu observa.
Caifás conspira.
Judas deserta.
Pedro nega.
Pilatos finge.
Ântipas escarnece.
Tomé desconfia.
Apesar de tudo, ele passa, sozinho e imperturbável, como sendo o amor não amado, ensinando e ajudando sempre.

* * *

Assim também, na instituição em que transitas, encontrarás, em quase todos os companheiros, oportunidades de aprender ou de auxiliar.
A cada passo, encontrarás os que te pedem amparo...
Os que te rogam alívio...
Os que te suplicam consolo...
Os que esperam entendimento...
Não te faltarão, contudo, igualmente, os que te desafiam a calma...
Os que te zombam dos ideais...
Os que te complicam as horas...
Os que te criam dificuldades...
Os que te ferem o coração...
Entretanto, se conheces o caminho exato, é preciso ajudes aos que se transviam; se te equilibras, é preciso que socorras os que se perturbam; se te manténs firme, é preciso sustentar os que caem e, se já entesouraste leve migalha de luz, é preciso que auxilies os que se debatem nas trevas.

Desse modo, não te faças distraído quanto à orientação que nos é comum, porquanto o espírita verdadeiro, diante do mal, é invariavelmente chamado a fazer o bem.

11
Fome e ignorância

Reunião pública de 8/2/60
Item 32

Atentos ao impositivo do estudo, a fim de que a luz do entendimento nos ensine a caminhar com segurança e a viver proveitosamente, estabeleçamos alguns confrontos entre a fome e a ignorância — dois dos grandes flagelos da Humanidade.

A fome anemiza o corpo.
A ignorância obscurece a alma.
A fome atormenta.
A ignorância anestesia.
A fome protesta.
A ignorância ilude.
A fome cria aflições imediatas.
A ignorância cria calamidades remotas.
A fome é crise gritante.

A ignorância é problema enquistado.

* * *

Em todos os lugares, vemos o faminto e o ignorante em atitudes diversas.
O faminto trabalha afanosamente na conquista do pão.
O ignorante é indiferente à posse da luz.
O faminto reconhece a própria carência.
O ignorante não se define.
O faminto aparece.
O ignorante oculta-se.
O faminto anuncia a própria necessidade.
O ignorante engana a si mesmo.

* * *

Qualquer pessoa pode atender à fome.
Raras criaturas, porém, conseguem socorrer a ignorância.
Para sanar a fome, basta estender pão.
Para extinguir a ignorância, é indispensável fazer luz.
Nesse sentido, mentalizemos o Provedor Divino.
Todos sabemos que o pão entregue pelos discípulos a Jesus, a fim de ser multiplicado em favor dos famintos, é aproximadamente o mesmo de hoje, que podemos amassar com facilidade; mas a luz entregue pelo Senhor aos discípulos, para ser multiplicada em favor dos ignorantes, exige perseverança incansável no serviço do bem aos outros com espírito de amor puro e sacrifício integral.
Valendo-nos, pois, da conceituação que a fome e a ignorância nos sugerem, concluímos que, na Doutrina Espírita, não nos bastam aqueles amigos que nos mostrem médiuns e

fenômenos para dissipar-nos a inquietação da fome de ver, mas, acima de tudo, precisamos dos companheiros valorosos, com atitude e exemplo, que nos arranquem ao comodismo da ignorância para ajudar-nos a discernir.

12
Na mediunidade

Reunião pública de 12/2/60
Item 226, perg. 1

Não é a mediunidade que te distingue.
É aquilo que fazes dela.
A ação do instrumento varia conforme a atitude do servidor.
A produção revela o operário.
A pena mostra a alma de quem escreve.
O patrimônio caminha no rumo que o mordomo dirige.

* * *

O lavrador tem a enxada, entretanto...
Se preguiçoso, cede asilo à ferrugem.
Se delinquente, empresta-lhe o corte à sugestão do crime.
Se prestativo e diligente, ergue, ditoso, o berço de flor e pão.

O legislador guarda o poder; contudo, através dele...

Se irresponsável, estimula a desordem.

Se desonesto, incentiva a pilhagem.

Se consciente e abnegado, é fundamento vivo à cultura e ao progresso.

O artista dispõe de mais amplos recursos da inteligência; todavia, com eles...

Se desequilibrado, favorece a loucura.

Se corrompido, estende a viciação.

Se enobrecido e generoso, surgirá sempre como esteio à virtude.

Urge reconhecer, no entanto, que acerca das qualidades e possibilidades do lavrador, do legislador e do artista, na concessão do mandato que lhes é confiado, apenas à Lei Divina realmente cabe julgar.

Todos nós, porém, de imediato, conseguimos classificar-lhes a influência pelos males ou bens que espalhem.

* * *

Assim também na mediunidade.

Seja qual for o talento que te enriquece, busca primeiro o bem na convicção de que o bem, a favor do próximo, é o bem irrepreensível que podemos fazer.

Desse modo, ainda mesmo que te sintas imperfeito e desajustado, infeliz ou doente, utiliza a força medianímica de que a vida te envolve, ajudando e educando, amparando e servindo, no auxílio aos semelhantes, porque o bem que fizeres retornará dos outros ao teu próprio caminho como bênção de Deus a brilhar sobre ti.

13
Em serviço mediúnico

Reunião pública de 15/2/60
Item 228

Se abraçaste a mediunidade, previne-te contra o orgulho como quem se acautela contra um parasito destruidor.

Agente sutil, assume formas diversas na constituição espiritual.

A princípio, tem o caráter avassalante de uma infestação, como a sarna.

É a requisição pruriginosa do personalismo insensato.

As vítimas identificam apenas a si mesmas.

Não veem o mérito dos outros.

Não reconhecem o direito dos outros.

Não observam a aspiração dos outros.

Não admitem a necessidade dos outros.

Fascinadas pelos adjetivos pomposos, caminham encegue-cidas da razão, como alienados mentais.

* * *

A fase aguda, porém, cede lugar a profundo abatimento.

Sem qualquer recurso para receberem o remédio moral da ponderação e muito menos o ataque da crítica, os doentes dessa espécie caem na armadilha da dúvida ou na sombra da queixa.

Descrendo sistematicamente da utilidade daqueles que os cercam, acabam descrendo da utilidade que lhes é própria.

Dizem-se, então, perseguidos e desanimados.

Proclamam-se vacilantes e infelizes.

E fogem do serviço como quem corre de perigo iminente, descansando, por fim, no museu das promessas frustradas.

* * *

No exercício mediúnico, aceitemos o ato de servir por lição das mais altas na escola do mundo.

E lembremo-nos de que assim como a vida possui trabalhadores para todos os misteres, há médiuns, na obra do bem, para a execução de tarefas de todos os feitios.

Nenhum existe maior que o outro.

Nenhum está livre do erro.

Todos, no entanto, guardam consigo a bendita possibilidade de auxiliar.

Esse tem a palavra que educa, aquele a mão que alivia e aquele outro a pena que consola.

Esse traz a oração que enleva, aquele transporta a mensagem que reanima, e aquele outro mostra a força de restaurar.

Usa, pois, tuas faculdades medianímicas como empréstimo da Bondade Infinita para que o orgulho te não assalte.

E recorda que Jesus, o Medianeiro Divino, em circunstância alguma requestou a admiração dos maiorais de seu tempo, e sim passou entre os homens, amparando e compreendendo, ajudando e servindo...

E se houve um dom de Deus em que se empenhou de preferência aos demais, foi aquele de praticar o culto vivo do Evangelho no coração do povo, visitando em pessoa os casebres da angústia e alimentando a turba faminta, ofertando amor puro aos enfermos sem-nome e estendendo esperança aos que viviam sem lar.

14
Oração e cura

Reunião pública de 19/2/60
Item 176, subitem 8

Recorres à oração, junto desse ou daquele enfermo, e sofres quando a restauração parece tardia.

Entretanto, reflete na Lei Divina em que todos, obrigatoriamente, nos entrosamos.

Isso não quer dizer devamos ignorar o martírio silencioso dos companheiros em calamidade do campo físico.

Para tanto, seria preciso não haver sentimento.

Sabemos, sim, quanto dói seguir, noite a noite, a provação dos familiares em moléstias irreversíveis; conhecemos de perto a angústia dos pais que recolhem no coração o suplício dos filhinhos torturados no berço; partilhamos a dor dos que gemem nos hospitais como sentenciados à pena última e assinalamos o tormento recôndito dos que fitam, inquietos, em doentes amados, os olhos que se embaciam...

* * *

Observa, porém, o quadro escuro das transgressões humanas que nos rodeiam.

Pensa nos crimes perfeitos que injuriam a Terra; na insubmissão dos que se rendem às sugestões do suicídio, prejudicando os planos da Eterna Sabedoria e criando aflitivas expiações para si mesmos; nos processos inconfessáveis dos que usam a inteligência para agravar as necessidades dos semelhantes e na ingratidão dos que convertem o próprio lar em reduto do desespero e da morte...

Medita nos torvos compromissos dos que se acumpliciam agora com os domínios do mal e perceberás que a enfermidade é quase sempre o bem exprimindo reajuste, sustando-nos a queda em delitos maiores.

* * *

Organizemos, assim, o socorro da oração junto de todos os que padecem no corpo dilacerado, mas, se a cura demora, jamais nos aflijamos.

Seja o leito de linho, de seda, palha ou pedra, a dor é sempre a mesma e a prece, em toda parte, é bênção, reconforto, amparo, luz e vida.

Lembremo-nos, no entanto, de que lesões e chagas, frustrações e defeitos, em nossa forma externa, são remédios da alma que nós mesmos pedimos à farmácia de Deus.

15
Três atitudes

Reunião pública de 22/2/60
Item 226, subitem 11

Entendendo-se que o egoísmo e o orgulho são qualidades negativas na personalidade mediúnica, obscurecendo a palavra da Esfera Superior, e compreendendo-se que o bem é a condição inalienável para que a mensagem edificante seja transmitida sem mescla, examinemos essas três atitudes em alguns quadros e circunstâncias da vida.

Na sociedade:
O egoísmo faz o que quer.
O orgulho faz como quer.
O bem faz quanto pode acima das próprias obrigações.
No trabalho:
O egoísmo explora o que acha.
O orgulho oprime o que vê.

O bem produz incessantemente.
Na equipe:
O egoísmo atrai para si.
O orgulho pensa em si.
O bem serve a todos.
Na amizade:
O egoísmo utiliza as situações.
O orgulho clama por privilégios.
O bem renuncia ao bem próprio.
Na fé:
O egoísmo aparenta.
O orgulho reclama.
O bem ouve.
Na responsabilidade:
O egoísmo foge.
O orgulho tiraniza.
O bem colabora.
Na dor alheia:
O egoísmo esquece.
O orgulho condena.
O bem ampara.
No estudo:
O egoísmo finge que sabe.
O orgulho não busca saber.
O bem aprende sempre para realizar o melhor.

* * *

Médiuns, a orientação da Doutrina Espírita é sempre clara.
O egoísmo e o orgulho são dois corredores sombrios, inclinando-nos, em toda parte, ao vício e à delinquência, em angustiantes processos obsessivos, e só o bem é capaz de filtrar com

lealdade a Inspiração Divina, mas, para isso, é indispensável não apenas admirá-lo e divulgá-lo; acima de tudo, é preciso querê-lo e praticá-lo com todas as forças do coração.

16
Força mediúnica

Reunião pública de 26/2/60
Item 226, subitem 2

Considerando-se a força mediúnica como recurso inerente à personalidade humana, de vez que, dentro de grau menor ou maior, transparece de todas as criaturas, comparemo-la à visão comum.

Efetuado o confronto, reconheceremos que, em essência, os olhos de um analfabeto, de um preguiçoso, de um malfeitor e de um missionário do bem não exibem qualquer diferença na histologia da retina.

Em todos eles, a mesma estrutura e a mesma destinação.

Imaginemos que fosse concedida, aos quatro, determinada máquina com vistas à produção de certos benefícios, acompanhada da respectiva carta de instruções para o necessário aproveitamento.

O analfabeto teria, debalde, o aparelho, por desconhecer como deletrear o processo de utilização.

O preguiçoso conheceria o engenho, mas deixá-lo-ia na poeira da inércia.

O malfeitor aproveitá-lo-ia para explorar os semelhantes ou perpetrar algum crime.

O missionário do bem, contudo, guardá-lo-ia sob a sua responsabilidade, orientando-lhe o funcionamento na utilidade geral.

* * *

Força medianímica, desse modo, quanto acontece à capacidade visual, é dom que a vida outorga a todos.

O que difere, em cada pessoa, é o problema de rumo.

Nisso reside a razão pela qual os Mensageiros Divinos insistirão, ainda por muito tempo, pela sublimação das energias psíquicas, a fim de que os frutos do bem se multipliquem por toda a Terra.

Não valem médiuns que apenas produzam fenômenos.

Não valem fenômenos que apenas estabeleçam convicções.

Não valem convicções que criem apenas palavras.

Não valem palavras que apenas articulem pensamentos vazios.

A vida e o tempo exigem trabalho e melhoria, progresso e aprimoramento.

Mediunidade, assim, tanto quanto a visão física, representa, do ponto de vista moral, força neutra em si própria.

A importância e a significação que possa adquirir dependem da orientação que se lhe dê.

Por isso mesmo, os amigos desencarnados, sempre que responsáveis e conscientes dos próprios deveres diante das Leis

Divinas, estarão entre os homens, exortando-os à bondade e ao serviço, ao estudo e ao discernimento, porquanto a força mediúnica, em verdade, não ajuda nem edifica quando esteja distante da caridade e ausente da educação.

17
Na glória do Cristo

Reunião pública de 29/2/60
Item 46, perg. 7

Se entre as vidas magnificentes da Terra uma existe, na qual a mediunidade comparece com todas as características, essa foi a vida gloriosa do Cristo.

Surge o Evangelho do contato entre dois mundos.

Zacarias, o sacerdote, faz-se clarividente de um instante para outro e vê um mensageiro espiritual que se identifica pelo nome de Gabriel, anunciando-lhe o nascimento de João Batista.

O mesmo Gabriel, na condição de embaixador celestial, visita Maria de Nazaré e saúda-lhe o coração lirial, notificando-lhe a maternidade sublime.

Nasce, então, Jesus sob luzes e vozes dos Espíritos Superiores.

Usando o magnetismo divino que lhe é próprio, o Excelso Benfeitor transforma a água em vinho nas bodas de Caná.

Intervém nos fenômenos obsessivos de variada espécie, nos quais as entidades inferiores provocam desajustes diversos, seja na alienação mental do obsidiado de Gadara ou na exaltação febril da sogra de Pedro.

Levanta corpos cadaverizados e regenera as forças vitais dos enfermos de todas as procedências.

Apazigua elementos desordenados da natureza e multiplica alimentos para as necessidades do povo.

Sonda os ideais mais íntimos da filha de Magdala, quanto lê na samaritana os pensamentos ocultos.

Conversa, Ele mesmo, com desencarnados ilustres, no cimo do Tabor, ante os discípulos espantados.

Avisa a Pedro que Espíritos infelizes procurarão induzi-lo à queda moral e faz sentir a Judas que não desconhece a trama de sombras de que o apóstolo desditoso está sendo vítima.

Ora no horto, antes da crucificação, assinalando a presença de enviados divinos.

E, depois da morte, volta a confabular com os amigos, fornecendo-lhes instruções quanto ao destino da Boa-Nova.

Reaparece, plenamente materializado, diante dos aprendizes, no caminho de Emaús, e, mais tarde, em Espírito, procura Saulo de Tarso nas vizinhanças de Damasco para confiar-lhe elevada missão entre os homens.

E porque o jovem perseguidor do Evangelho nascente se mostre traumatizado ante o encontro imprevisto, busca Ele próprio a cooperação de Ananias para socorrer o novo companheiro dominado de assombro.

É inútil, assim, que cristãos distintos, nesse ou naquele setor da fé, reúnam-se para confundir respeitosamente a mediunidade em nome da Metapsíquica ou da Parapsicologia —

que mais se assemelham a requintados processos de dúvida e negação —, porque ninguém consegue empanar os fatos mediúnicos da vida de Jesus, que, diante de todas as religiões da Terra, permanece por Sol indiscutível a brilhar para sempre.

18
Obsessão e Jesus

Reunião pública de 4/3/60
Item 237

Cristãos eminentes em variadas escolas do Evangelho asseveram na atualidade que o problema da obsessão teria nascido no culto da mediunidade à luz da Doutrina Espírita, quando a Doutrina Espírita é o recurso para a supressão do flagelo.

Malham médiuns, fazem sarcasmo, condenam a psicoterapia em favor dos desencarnados sofredores e, por vezes, atingem o disparate de afirmar que a prática medianímica estabelece a loucura.

Esquecem-se, no entanto, de que a vida de Jesus, na Terra, foi uma batalha constante e silenciosa contra obsessões, obsidiados e obsessores.

O combate começa no alvorecer do apostolado divino.

Depois da resplendente consagração na manjedoura, o Mestre encontra o primeiro grande obsidiado na pessoa de

Herodes, que decreta a matança de pequeninos com o objetivo de aniquilá-lo.

Mais tarde, João Batista, o companheiro de eleição que vem ao mundo secundar-lhe a obra sublime, sucumbe degolado em plena conspiração de agentes da sombra.

Obsessores cruéis não vacilam em procurá-lo nas orações do deserto, verificando-lhe os valores do sentimento.

A cada passo, surpreende Espíritos infelizes senhoreando médiuns desnorteados.

O testemunho dos apóstolos é sobejamente inequívoco.

Relata Mateus que os obsidiados gerasenos chegavam a ser ferozes; refere-se Marcos ao obsidiado de Cafarnaum, de quem desventurado obsessor se retira clamando contra o Senhor em grandes vozes; narra Lucas o episódio em que Jesus realiza a cura de um jovem lunático, do qual se afasta o perseguidor invisível logo após arrojar o doente ao chão em convulsões epileptoides; e reporta-se João a israelitas positivamente obsidiados que apedrejam o Cristo sem motivo, na chamada Festa da Dedicação.

Entre os que lhe comungam a estrada, surgem obsessões e psicoses diversas.

Maria de Magdala, que se faria a mensageira da ressurreição, fora vítima de entidades perversas.

Pedro sofria de obsessão periódica.

Judas era enceguecido em obsessão fulminante.

Caifás mostrava-se paranoico.

Pilatos tinha crises de medo.

No dia da crucificação, vemos o Senhor rodeado por obsessões de todos os tipos, a ponto de ser considerado, pela multidão, inferior a Barrabás, malfeitor e obsesso vulgar.

E, por último, como se quisesse deliberadamente legar-nos preciosa lição de caridade para com os alienados mentais, declarados ou não, que enxameiam no mundo, o Divino Amigo prefere partir da Terra na intimidade de dois ladrões, que a Ciência de hoje classificaria por cleptomaníacos pertinazes.

À vista disso, ante os escarnecedores de todos os tempos, eduquemos a mediunidade na Doutrina Espírita, porque só a Doutrina Espírita é luz bastante forte, em nome do Senhor, para clarear a razão, quando a mente se transvia, desgovernada, sob o fascínio das trevas.

19
Espíritos da luz

Reunião pública de 7/3/60
Item 267, subitem 10

Parafraseando a luminosa definição do apóstolo Paulo em torno da caridade, no capítulo 13 da primeira epístola aos coríntios, ousaremos aplicar os mesmos conceitos aos Espíritos benevolentes e sábios que nos tutelam a evolução.

Ainda que falássemos a linguagem das trevas e não tivéssemos leve raio de entendimento — não passaríamos para eles de pobres irmãos necessitados de luz.

Ainda que nos demorássemos na vocação do crime, caindo em todas as faltas e retendo todos os vícios, a ponto de arrojar-nos, por tempo indeterminado, nos últimos despenhadeiros do mal, para nosso próprio infortúnio — não seríamos para eles senão criaturas infelizes, carecentes de amor.

Ainda que dissipássemos todas as nossas forças no terreno da culpa e dedicássemos a vida ao exercício da crueldade, sem a mínima noção do próprio dever — isso seria para eles tão somente motivo a maior compaixão.

Os Espíritos da luz são pacientes.
Em todas as manifestações são benignos.
Não invejam.
Não se orgulham.
Não mostram leviandade.
Não se ensoberbecem.
Não se portam de maneira inconveniente.
Não se irritam.
Não são interesseiros.
Não guardam desconfiança.
Não folgam com a injustiça, mas rejubilam-se com a verdade.
Tudo suportam.
Tudo creem.
Tudo esperam.
Tudo sofrem.

A caridade deles nunca falha, enquanto que, para nós, um dia, as revelações gradativas terão fim, os fenômenos cessarão e as provas terminarão, por desnecessárias.

Por agora, de nós mesmos, conhecemos em parte e em parte imaginamos; entretanto, eles, os emissários do eterno bem, acompanham-nos com devotamento perfeito, sabendo que, em matéria de Espiritualidade superior, quase sempre ainda somos crianças, falamos como crianças, pensamos quais crianças e ajuizamos infantilmente.

Estão certos, porém, de que mais tarde, quando nos despojarmos das deficiências humanas, abandonaremos, então, tudo o que vem a ser pueril.

Verificaremos, assim, a grandeza deles, como a víssemos retratada em espelho, confrontando a estreiteza de nosso egoísmo com a imensurabilidade do amor com que nos assistem.

Conforta-nos, pois, reconhecer que, se ainda demonstramos fé vacilante, esperança imperfeita e caridade caprichosa, temos, junto de nós, a caridade dos Mensageiros do Senhor, que é sempre maior, por não esmorecer em tempo algum.

20
Eles também

Reunião pública de 11/3/60
Item 217

Compadece-te dos médiuns de todas as procedências, mas, notadamente, daqueles que abraçam no serviço a estrada do aprimoramento e da redenção.

Sabes que a existência te pede o exato desempenho das próprias obrigações.

Eles também.

Compreendes que é preciso disciplinar o tempo, a fim de que não caias no descrédito de ti mesmo.

Eles também.

Não estimarias explorar a bolsa alheia, quando podes e deves viver à custa do próprio esforço.

Eles também.

Não ignoras que tentarias, debalde, ensinar a outrem o acesso à virtude sem base no bom exemplo, começando na tua própria casa.
Eles também.
Sofrerias, decerto, se alguém te exilasse do trabalho digno, lançando-te à zombaria e ao desapreço.
Eles também.
Não podes dar o tempo todo ao ideal, porquanto não te encontras livre de compromissos ante as rotas humanas.
Eles também.
Vives num corpo suscetível de queda na enfermidade, muita vez carecente de remédio e socorro e sempre necessitado de higiene e alimentação.
Eles também.
Percebendo que não podes satisfazer irrestritamente e reconhecendo que a construção do bem é sementeira e seara de todos, agradeces, feliz, a desculpa espontânea do próximo diante de tuas faltas involuntárias.
Eles também.

* * *

Ajudemos aos companheiros da mediunidade em nossos templos de confraternização e de amor.
Qual nos acontece, eles também trazem consigo as raízes profundas do pretérito sombrio, afrontados por enigmas do sentimento a lhes desafiarem a fé.
Eles também são seres humanos em conflito consigo mesmos.
Também lutam.
Também choram.
Também erram.
Também sofrem.

Como nós, não precisam de elogios e homenagens, mas sim de apoio e compreensão para que venham a caminhar entre sombras menores, já que todos nós, encarnados e desencarnados, em atividade na Terra, respiramos ainda muito distantes da Grande Luz.

Auxiliemo-los, assim, na execução dos próprios deveres, dentro dos moldes da disciplina e da ordem, do trabalho correto e do respeito à consciência tranquila, que desejamos para nós mesmos, porque o fruto perfeito não é obra sublime apenas da vigilância e da obediência da árvore, mas também do carinho e da paciência que brilham nas mãos do cultivador.

21
Pequeninos, mas úteis

Reunião pública de 14/3/60
Item 227

Educa-te, e assimilarás a influência das forças espirituais que iluminam.

Serve, e atrairás as forças espirituais que abençoam.

Diante da grandeza do Universo e perante a extensão de nossos próprios erros no passado culposo, todos somos pequeninos, mas podemos ser úteis.

Com vistas, assim, ao trabalho do bem, recorramos a imagens simples da vida para compreendermos, sem qualquer dúvida, a obrigação de servir.

* * *

A restauração do enfermo está dependendo de exame decisivo.

O diagnóstico está feito.

Os sintomas são evidentes.

Mas é necessário que esse ou aquele aparelho de análise, muitas vezes aparentemente de pouca monta, estabeleça a prova conclusiva para a assistência segura.

Para isso, no entanto, é indispensável que o recurso instrumental esteja em perfeitas condições.

* * *

O salão, à noite, está lotado por assembleia numerosa, reunida com o objetivo de estudar importantes problemas de enorme comunidade.

O temário está pronto.

Os planos são precisos.

Mas antes foi necessário que se valesse alguém de humilde tomada elétrica a fim de que a luz se fizesse.

Para isso, no entanto, foi indispensável que a instalação satisfizesse às exigências de sintonia.

* * *

O comboio está repleto de personalidades respeitáveis para importante excursão.

O programa é correto.

O horário está previsto.

Mas é necessário que a pequena alavanca de controle seja acionada para que a locomotiva se ponha em movimento.

Para isso, no entanto, é indispensável que a engrenagem permaneça na harmonia ideal.

* * *

Ninguém perderá tempo perguntando se a pipeta do laboratório pertenceu a algum malfeitor, se os fios da eletricidade, alguma vez, passaram inadvertidamente pelo cano de esgoto, ou se o ferro da máquina terá servido, algum dia, em conflitos de sangue e ódio.

Vale saber que, devidamente transformados, mostram-se em disciplina para ajudar.

* * *

Desse modo, sabendo que todos somos instrumentos chamados à execução do *melhor* e cientes de que a mediunidade, nesse ou naquele grau, é patrimônio comum a todos, ponhamo-nos a cooperar na obra do Cristo, Nosso Divino Mestre e Senhor.

Ninguém despreze a bênção das horas, cultivando tristezas inconsequentes ou sombras imaginárias, porque, muito acima dessa ou daquela deficiência que tenha perdurado conosco até ontem, importa hoje a nossa renovação para atender ao bem no lugar exato e no instante certo, porquanto somente nas atividades do bem para o bem dos outros é que nós garantiremos a vida e a continuidade de nosso próprio bem.

22
Muito desejo

Reunião pública de 18/3/60
Item 220, subitem 15

Médium quer dizer "intermediário".
Intermediário define a posição daquele que se põe de permeio.
E muitos amigos encarnados, aspirando ao contacto com as esferas superiores, costumam dizer que sentem muito desejo de ser médiuns.
Há inúmeros que se propõem instruir e escrever, falar e materializar, aliviar e consolar em nome dos Mensageiros da Luz; entretanto, não passam da região do "muito desejo".
Mentalizemos, contudo, alguns quadros comuns em que a pessoa descansa nesse impulso de início.

* * *

Existe o lavrador que tem muito desejo de semear; entretanto, passa a existência discutindo teorias da agricultura, ou comentando algo em torno das pragas diversas que flagelam a lavoura, e espera indefinidamente o instante de plantar, como se a terra devesse deslocar-se para colher-lhe as sementes das mãos.

* * *

Encontramos o oleiro que mostra muito desejo de fabricar um vaso de eleição, mas consome o tempo falando nas dificuldades da cerâmica ou nos perigos do forno quente e aguarda em constante expectativa a hora de modelar, como se a argila estivesse na obrigação de buscar-lhe os dedos.

* * *

Imaginemos o trabalhador que enunciasse muito desejo de cooperar em determinada oficina e que, aí admitido, simplesmente vivesse a policiar a atitude e o movimento dos chefes e companheiros, qual se pudesse cumprir o próprio dever à custa da observação inoperante que ninguém lhe pediu.

* * *

Pensemos no aluno que chegasse à escola com muito desejo de aprender e que não manuseasse sequer um livro, qual se o professor pudesse pregar-lhe a lição na cabeça, como quem dependura um cartaz no poste.

* * *

Se aspiras a colaborar na obra dos Espíritos benevolentes e sábios, colocando-te entre eles e os irmãos encarnados, é possível não possas, de imediato, partilhar a sinfonia dos grandes feitos humanos, mas podes brilhar na tarefa mais alta de todas, a expressar-se no concerto do bem puro, consolando e construindo, amparando e esclarecendo, educando e amando...

Para isso, porém, não basta o muito desejo...

É preciso reverenciar o serviço, buscar o serviço, disputar o serviço e abraçar o serviço com espírito de renúncia em favor do próximo.

Muitos dizem que farão isso amanhã.

Realmente, amanhã é o tempo glorioso de nome porvir, destinado a marcar o coroamento e a vitória, a colheita e a alegria...

Entretanto, segundo velho rifão, em muitos casos, "amanhã é o caminho que vai dar no deserto chamado *nunca*".

23
Obsessores

Reunião pública de 21/3/60
Item 249

Obsessor, em sinonímia correta, quer dizer "aquele que importuna".

E "aquele que importuna" é, quase sempre, alguém que nos participou a convivência profunda no caminho do erro, a voltar-se contra nós quando estejamos procurando a retificação necessária.

No procedimento de semelhante criatura, a antipatia com que nos segue é semelhante ao vinho do aplauso convertido no vinagre da crítica.

Daí, a necessidade de paciência constante para que se lhe regenerem as atitudes.

* * *

Considerando, desse modo, que o presente continua o pretérito, encontramos obsessores reencarnados na experiência mais íntima.

Muitas vezes, estão rotulados com belos nomes.

Vestem roupa carnal e chamam-se pai ou mãe, esposo ou esposa, filhos ou companheiros familiares na lareira doméstica.

Em algumas ocasiões, surgem para os outros na apresentação de santos, sendo para nós benemerentes verdugos.

Sorriem e ajudam na presença de estranhos e, a sós conosco, dilaceram e pisam, atendendo, sem perceberem, ao nosso burilamento.

E, na mesma pauta, surpreendemos desafetos desencarnados que nos partilham a faixa mental, induzindo-nos à criminalidade em que ainda persistem.

Espreitam-nos a estrada, à feição de cúmplices do mal, inconformados com o nosso anseio de reajuste, recompondo, de mil modos diferentes, as ciladas de sombra em que venhamos a cair, para reabsorver-lhes a ilusão ou a loucura.

* * *

Recebe, pois, os irmãos do desalinho moral de ontem com espírito de paz e de entendimento.

Acusá-los seria o mesmo que alargar-lhes a ulceração com novos golpes.

Crivá-los de reprimendas expressaria indução lamentável a que se desmereçam ainda mais.

Revidar-lhes a crueldade significaria comprometer-nos em culpas maiores.

Condená-los é o mesmo que amaldiçoar a nós mesmos, uma vez que nos acompanham os passos, atraídos pelas nossas imperfeições.

Aceita-lhes injúria e remoque, violência e desprezo de ânimo sereno, silenciando e servindo.

Nem brasa de censura, nem fel de reprovação.

Obsessores visíveis e invisíveis são nossas próprias obras, espinheiros plantados por nossas mãos.

Endereça-lhes, assim, a boa palavra ou o bom pensamento sempre que preciso, mas não lhes negues paciência e trabalho, amor e sacrifício, porque só a força do exemplo nobre levanta e reedifica ante o Sol do futuro.

24
Alegas

Reunião pública de 25/3/60
Item 220, subitem 16

Alegas descrença da vida celestial por ausência da comprovação que supões adequada e viajas, ante a glória do firmamento, num gigantesco engenho cósmico de nome "Terra" a girar sobre si mesmo, com imensa velocidade, em torno do Sol, e não pensas nisso.

Alegas que não compreendes como possam surgir irradiações do Espírito e te equilibras, cada dia, sob a luz solar que se expande na imensidão do Espaço, a trezentos mil quilômetros por segundo, sem que lhe abordes a estrutura mais íntima.

Alegas que não ouves a voz das inteligências desencarnadas e moras num reino de ondas, de que as maiores estações emissoras dosam apenas ínfima porção, transformando em sons articulados o que te parece solidão e silêncio.

Alegas que ninguém te explica por que processo se alimentam as almas com os fluidos sutis e vives no oceano aéreo, nutrindo-te em maior grau dos recursos imponderáveis da natureza.

Alegas que a existência humana, fora da matéria física, é inaceitável por tornar-se invisível; entretanto, quanta coisa invisível consideras real!

Alegas a impossibilidade da materialização transitória dos amigos que já transpuseram as fronteiras do túmulo e, apesar das notáveis observações da genética, desconheces como nasceste entre as formas carnais, tanto quanto ignoras os processos por que te desenvolves.

* * *

Não te lamentes, porém, quanto à falta de elementos mediúnicos para o levantamento das boas obras.

Não te condiciones a informes alheios para ajudar.

Todos dispomos de vasta provisão de sementes e luzes do conhecimento superior e estamos convictos de que fomos chamados para servir.

O que Jesus ensinou, há quase dois milênios, tem força de verdade para todos os séculos, e a mensagem desse ou daquele arauto do Evangelho, aos ouvidos de alguém, é lição para todos nós.

Importa, acima de tudo, estender o bem, entendendo-se que o bem verdadeiro será sempre o bem que façamos aos outros.

Toma alguns grãos de trigo achados na rua a esmo...

Não sabes de onde vieram; no entanto, se resolves plantá-los, inda hoje, com respeito e carinho, em breve as Leis de Deus, sem que as vejas agindo, deles farão no solo, em teu próprio favor, vasto e belo trigal.

25
Imperfeições

Reunião pública de 28/3/60
Item 226, subitem 9

Ante o serviço a fazer, evitemos a escuridão das horas frustradas.

Nós que alongamos os braços a cada instante para recolher sustento e proteção, consolo e carinho, saibamos estender igualmente as mãos para auxiliar.

Declaras-te inabilitado a servir.

Entretanto, é buscando servir que te promoves à galeria da confiança.

Afirmas-te em padrão muito baixo para a feitura das boas obras.

Entretanto, é nas boas obras que fulge o caminho da elevação.

Asseveras-te espírito devedor e, por esse motivo, desertas do culto à fraternidade.

Entretanto, é no culto à fraternidade que encontramos recursos ao resgate dos próprios débitos.

Acusas-te entediado e, por isso, renuncias às lutas edificantes. Entretanto, é nas lutas edificantes que recuperarás a tua alegria.

* * *

Haja o que houver, não te proclames inútil.

Há muita gente que se lastima da falta de virtude para fugir-lhe ao ensinamento, olvidando que, se já fôssemos consciências aprimoradas, ninguém recorreria na Terra ao merecimento da escola.

O vaso simples, se necessário, é mandado ao conserto.

O carro em desajuste recupera-se na oficina.

O móvel quebrado encontra refazimento.

A roupa manchada alimpa-se na água pura.

É impossível, desse modo, que a Divina Sabedoria não dispusesse de meios a fim de reabilitar-nos.

E, a fim de reabilitar-nos, deu-nos a cada um a possibilidade de auxílio aos outros.

Todos temos, portanto, no trabalho do bem, nosso grande remédio.

Se caíste, surgirá ele como apoio em que te levantes.

Se amargurado, ser-te-á reconforto.

Se erraste, dar-te-á corrigenda.

Se ignoras, abençoar-te-á por lição.

Deus sabe que todos nós, encarnados e desencarnados em serviço na Terra, somos ainda Espíritos imperfeitos, mas concedeu-nos o trabalho do bem, que podemos desenvolver e sublimar, segundo a nossa vontade, para que a nossa vida se aperfeiçoe.

26
Fenômenos e livros

Reunião pública de 15/4/60
Item 178

Fenômenos mediúnicos existem na gênese de todas as religiões, mas desaparecem, à maneira de fogo-fátuo, no raio circunscrito da hora em que se exprimem. Contudo, os livros que nascem deles permanecem por tempo indeterminado nos horizontes do espírito.

Há quem sorria ironicamente diante da narrativa hindu na qual Arjuna, espantado, observa as sublimes manifestações de Krishna; entretanto, nos poemas do *Bhagavad Gita*, palpitam cânticos imperecíveis das mais altas virtudes.

Há quem descreia da História, quando afirma que Zoroastro recolheu ensinamentos do Espírito Ormuzd nas eminências do Albordjeh; no entanto, as páginas do *Zendavesta* gravam com mestria a luta do bem contra o mal.

Há quem discuta a impossibilidade de haver Moisés revelado tantos poderes à frente dos egípcios assombrados, mas o código de mandamentos por ele recebido de Jeová, no cimo do monte, é seguro alicerce aos preceitos essenciais da justiça.

Há quem veja loucura na decisão de Sidarta ao abandonar o palácio paterno sob a inspiração da Esfera Superior a fim de consagrar-se aos infelizes; todavia, as lições guardadas por seus discípulos formam o venerável caminho budista do pensamento reto.

Há quem duvide dos fatos admiráveis que cercaram, na Terra, a presença do Cristo, relacionando acontecimentos medianímicos cuja legitimidade desafia todas as exigências da Metapsíquica e da Parapsicologia contemporâneas; entretanto, o Evangelho continua sendo o livro Divino da Humanidade.

E, ainda hoje, há quem lance sarcasmo sobre os médiuns da atualidade, mas os livros basilares de Allan Kardec prosseguem como sólidos fundamentos da Doutrina Espírita que atualiza agora as revelações do Mestre dos mestres.

Como é fácil observar, os fenômenos mediúnicos representam a ostreira das interrogações e dos experimentos humanos. O livro edificante, contudo, é a pérola que passa a guarnecer o tesouro crescente da sabedoria que nunca morre.

Eduquemos, assim, a mediunidade entre nós para que ela possa surpreender e fixar a emoção e a ideia, a palavra e o trabalho dos mensageiros que supervisionam e conduzem o aperfeiçoamento terrestre, porque, em verdade, nesse ou naquele documentário, o livro é o comando mágico das multidões e só o livro nobre, que esclarece a inteligência e ilumina a razão, será capaz de vencer as trevas do mundo.

27
Palavra

Reunião pública de 18/4/60
Item 166

Quando te detenhas na apreciação da mediunidade falante, pensa na maravilha do verbo, recordando que todos somos médiuns da palavra.

A glote vocal pode ser comparada à harpa viva em cujas cordas a alma exprime todos os cambiantes do pensamento. E sendo o pensamento onda criadora a integrar-se com outras ondas de pensamento com as quais se harmoniza, a fala, de modo invariável, reflete o grupo moral a que pertencemos.

Veículo magnético, a palavra, dessa maneira, é sempre fator indutivo na origem de toda realização.

Com ela, propagamos as boas obras, acendemos a esperança, fortalecemos a fé, sustentamos a paz, alimentamos o vício ou nutrimos a delinquência. E isso acontece porque, em verdade, nunca falamos sozinhos, mas sempre retratamos as influências da sombra ou da luz que nos circulam no âmbito mental.

Toda vez que ensinamos ou conversamos, nossa boca assemelha-se a um alto-falante em conexão com o emissor da memória, projetando na direção dos outros não apenas a resultante de nossas leituras ou de nossos conhecimentos, mas igualmente as ideias e sugestões que nos são desfechadas pelas criaturas encarnadas ou desencarnadas com as quais estejamos em sintonia.

Não menosprezes, portanto, o dom de falar, que nos facilita a comunhão com os outros seres.

Guarda-o na luz do respeito e da justiça, da bondade e do entendimento, sem olvidar que atitude é alavanca invisível de ligação.

Por meio de nossos conceitos orais, o pessimismo é porta aberta ao desânimo, o sarcasmo é corredor rasgado para a invasão do descrédito, a cólera é gatilho à violência, o azedume é clima da enfermidade, e a irritação é fermento à loucura.

Desse modo, ainda que trevas e espinheiros se alonguem junto de ti, governa a própria emoção e pronuncia a palavra que instrua ou console, ajude ou santifique. Mesmo que a provocação do mal te instigue à desordem, compelindo-te a condenar ou ferir, abençoa a vida onde estiveres.

A palavra vibra no alicerce de todos os males e de todos os bens do mundo.

Falando, o professor alça a mente dos aprendizes às culminâncias da educação, e, falando, o malfeitor arroja os companheiros para o fojo do crime.

Sócrates falou, e a visão filosófica foi alterada.

Jesus falou, e o Evangelho surgiu.

O verbo é plasma da inteligência, fio da inspiração, óleo do trabalho e base da escritura.

Todos somos medianeiros daqueles que admiramos e daqueles que ouvimos.

Aprendamos, assim, a calar toda frase que malsine ou destrua, porque, conforme a Lei do Bem promulgada por Deus, toda palavra que obscureça ou enodoe é moeda falsa no tesouro do coração.

28
Trabalhemos

Reunião pública de 22/4/60
Item 223, subitens 7 e 8

Perguntas, muitas vezes, se podes colaborar junto à bandeira de amor e luz que a Espiritualidade Maior vem desfraldando na Terra.

Estimarias movimentar poderes mediúnicos incontestes, materializando forças sutis, distribuindo consolações, traçando diretrizes, enunciando a verdade ou pronunciando o verbo revelador.

Não necessitas, no entanto, recorrer a esse ou àquele luminar da sabedoria para a obtenção da resposta.

Basta breve consulta ao livro da Natureza.

Sabes que a semente é suscetível de fazer florir o deserto, desde que lhe ofereças base adequada no solo, e que a fonte é capaz de dessedentar-te na intimidade doméstica, se lhe dás condução no canal preciso.

A semente, contudo, morre sem remissão se relegada de todo à cova de areia quente, e a fonte, por mais generosa, não te alcança o reduto familiar quando se lhe entrava o caminho.

Toda realização pede esforço.

Todo merecimento real inclui sacrifício.

Muitos, porém, almejam auxiliar, exigindo que a evolução se transforme numa avenida asfaltada em que possam deslizar de patins. Desejam fazer claridade na hora do meio-dia, melhorar o prato feito, subir em elevadores rápidos para emitirem exortações de sacadas tranquilas ou ditar bons conselhos à cabeça dos anjos.

Entretanto, embora imperfeitos, é indispensável que empreendamos a cura de nossas próprias imperfeições.

Se aspiras ao bem para sanar os males da Terra, é natural que a Esfera Superior se esmere em proclamá-lo por teu intermédio.

Se procuras o Senhor, buscando ajudar a vida, o Senhor também te procura a fim de ajudá-la.

Desse modo, o Mestre Divino espera-te na luta por instrumento que possa atender-lhe à obra.

Purifiquemos a emoção, a fim de senti-lo.

Sublimemos o pensamento, para entendê-lo.

Eduquemos a palavra, de modo a enunciar-lhe o verbo.

Aprimoremos a ação, para exprimir-lhe a presença.

Aperfeiçoemos a nós mesmos cada dia, tanto quanto seja possível, porquanto, para sermos intermediários fiéis entre Ele e o Mundo, só existe uma solução — *trabalhar*.

29
Aviso, chegada e entendimento

Reunião pública de 25/4/60
Item 160

A intervenção franca do Plano Espiritual no Plano Físico pode ser admitida no conceito popular como embaixada portadora de metas decisivas a definir-se em três períodos essenciais: aviso, chegada e entendimento.

De Swedenborg a Andrew Jackson Davis, surpreendemos a mediunidade ativa sob as ordens da Esfera Superior no aviso da renovação necessária.

E se pequenas disparidades são registradas no verbo dos obreiros em serviço, é justo lembrar que, na interpretação da realidade, assim como na interpretação da música, a expressão isolada varia conforme as peculiaridades do instrumento.

Em 1848, no vilarejo de Hydesville, inicia-se publicamente a chegada dos comandos da sobrevivência.

Os emissários desencarnados, quais familiares há muito tempo ausentes da própria casa, alcançam a moradia terrestre, batendo freneticamente à porta.

Na residência dos Fox, não faltam nem mesmo as palmas de quem chega e de quem recepciona, entre a menina Kate e o Espírito Charles Rosma, baseando-se em pancadas os rudimentos da linguagem primitiva entre os dois planos.

Desde então, apesar das dificuldades morais de muitos dos trabalhadores humanos reencarnados no círculo terrestre, começam a operar diversas comissões mediúnicas, chamando pacificamente a atenção da Terra.

Os fenômenos físicos por Daniel Dunglas Home e pelos irmãos Davenport, por Florence Cook e por Eusapia, tanto quanto através de outros medianeiros, falam à aristocracia do poder e da inteligência, em palácios e laboratórios, agitando os salões de lazer e as preocupações da imprensa.

Aos ruídos da visitação invisível, misturam-se os ruídos da opinião.

Ouvem-se batidas surpreendentes aqui e ali, mãos luminosas acenam por toda parte, vozes ressoam entre lábios selados, mensagens rápidas são transmitidas de maneira direta, e entidades materializam-se ante os experimentadores, tomados de assombro.

Entretanto, a obra do entendimento é encetada com Allan Kardec, que esclarece a posição da Doutrina e do fenômeno como quem separa o trigo da vestimenta de palha, estabelecendo rumos, criando obrigações e definindo responsabilidades.

Mas, como toda edificação espiritual obedece à cronologia da mente, ainda hoje encontramos milhares de pessoas na *fase do aviso* e milhares de outras na *fase da chegada*, entre a esperança e a convicção.

Quanto a nós, que nos achamos na *fase do entendimento*, saibamos concretizar os princípios da fraternidade e esparzir o socorro moral em benefício das consciências, estendendo a luz ao coração do povo, porquanto o Plano Espiritual atinge o Plano Físico em cumprimento das promessas do Cristo de modo a reunir todas as criaturas na Lei do Bem e habilitá-las, convenientemente, para a continuidade do serviço de hoje, no grande futuro ou no grande Além, ante a Vida Maior.

30
Essas outras mediunidades

Reunião pública de 29/4/60
Item 185

Na expansão dos recursos medianímicos que te enriquecem a experiência, sob as diretrizes dos benfeitores desencarnados, não te despreocupes das faculdades edificantes, suscetíveis de te vincularem à elevação e à melhoria dos companheiros na Terra.

* * *

Pronuncias a palavra preciosa que os emissários da cultura e da inteligência te levam à boca, impressionando auditórios atentos.

Mas não negues o verbo da tolerância aos que te reclamam indulgência e carinho dentro de casa.

* * *

Doutrinas eficientemente os Espíritos transviados nas sombras da viciação e do crime, transmitindo conselhos e avisos da Esfera Superior.

Não recuses, porém, a conversação amorosa e paciente aos familiares ainda confinados à ignorância e à perturbação.

* * *

Escreves a frase escorreita para entendimento do público sob a influência de instrutores domiciliados no Plano Maior.

Grava, entretanto, no próprio caminho, a sinalização do bom exemplo, induzindo os semelhantes a que nobilitem a própria existência.

* * *

Contemplas quadros prodigiosos através da clarividência, caindo em êxtase ante as alegrias sublimes que observas, por antecipação, na glória espiritual.

Não olvides, contudo, fitar as chagas dos que padecem, estendendo até eles migalha do teu conforto por mensagem de auxílio.

* * *

Escutas vozes comovedoras do Grande Além, delas fazendo narrativas surpreendentes para os que te admiram as incursões no país do inabitual.

Busca, no entanto, ouvir as aflições dos irmãos sofredores, aprendendo a ser útil.

* * *

Estendes mãos fraternas no passe balsamizante em favor dos que te procuram sedentos de alívio.

Não furtes, porém, os braços prestimosos ao trabalho de cooperação espontânea junto daqueles que o Senhor te confiou na intimidade doméstica.

* * *

Atende às faculdades múltiplas pelas quais se evidencie a bondade dos Mensageiros Divinos, mas não desdenhes essas outras mediunidades tanta vez esquecidas da renúncia e da paciência, da humildade e do serviço, da prudência e da lealdade, do devotamento e da correção, em que possas mostrar os teus préstimos diante daqueles que te partilham a luta, porque somente assim serás suporte firme da luz e chama da própria luz.

31
Mediunidade e privilégios

Reunião pública de 2/5/60
Item 306

Todos estamos concordes em que a Doutrina Espírita revive agora o Cristianismo puro; no entanto, há muita gente que lhe estranha a organização, sem os chamados valores nobiliárquicos que assinalam a maioria das instituições terrestres.

À força de se iludirem com a idolatria, que sempre nos custa caro, muitos companheiros, menos vigilantes, desejariam condecorar trabalhadores da Nova Revelação, criando galerias para o relevo pessoal. E se pudessem determinar o rumo das coisas no consenso opinativo, decerto que há muito estaríamos mobilizando doutrinadores chefes e médiuns titulares com as nossas casas de serviço perdendo tempo em mesuras e rapapés.

Entretanto, não há uma só frase na Codificação Kardequiana em que se recomende tratamento especial a esse ou àquele médium porque fale com mestria ou materialize desencarnados, porque transmita força curativa ou psicografe livros renovadores.

A preocupação fundamental dos Emissários Divinos, na formação de nossos princípios, foi, aliás, edificar moralmente a instrumentação mediúnica em bases de simplicidade e desinteresse, para que ela "corresponda às vistas da Providência".

Não existem, desse modo, médiuns maiores ou médiuns menores, favorecendo, entre nós, a constituição de prerrogativas e castas.

Tanto na mensagem do Evangelho, quanto na mensagem do Espiritismo, o que prevalece, acima de tudo, é a responsabilidade para cada um de nós.

Responsabilidade de sentir e pensar, de falar e fazer.

Não temos o direito de enfeitar os outros com os brasões da excessiva confiança, para que realizem o trabalho que nos compete.

Por essa razão, todos os operários da construção espírita são respeitáveis.

Os doutrinadores que se esmeram em socorrer um irmão obsidiado, por entendimento particular, estão fazendo obra idêntica aos que usam brilhantemente a palavra, arrebatando multidões, e os médiuns que grafam compêndios santificantes não são superiores àqueles outros que se consagram à restauração dos enfermos.

Sustentar a ideia espírita, indene de qualquer imaginária fidalguia para aqueles que a servem, é dever para todos nós.

Na formação cristã, não sobraram privilégios para ninguém.

O próprio Cristo, que se revelou pelo que fez e pelo que deixou de fazer, não se furtou ao sacrifício e à humilhação.

Algum tempo depois dele, Tiago, filho de Zebedeu, foi assassinado, Estêvão caiu sob injúrias e pedras, Simão Pedro foi conduzido ao martírio extremo, e Paulo de Tarso tombou, sob golpes de espada, por estarem, todos eles, ensinando a verdade e praticando o bem.

Hoje, não podemos precisar de que modo desencarnarão os médiuns espíritas ocupados em tarefa libertadora das consciências, mas é importante que vivam atendendo aos próprios deveres, para que recebam corretamente a morte, quando não seja na palma do heroísmo, pelo menos na dignidade do trabalho edificante.

32
Médium inesquecível

Reunião pública de 6/5/60
Item 231, perg. 1

Estudando mediunidade e ambiente, recordemos um dos médiuns inesquecíveis dos dias apostólicos: Paulo de Tarso.

Em torno dele, tudo era contra a luz do Evangelho.

A sombra do fanatismo e da crueldade não se instalara apenas no Sinédrio, onde se lhe situava a corte dos mentores e amigos, mas também nele próprio, transformando-o em perigoso instrumento da perseguição e da morte.

Feria, humilhava e injuriava a todos os que não pensassem pelos princípios que lhe norteavam a ação.

Mas desabrocha-lhe a mediunidade inesperadamente.

Vê Jesus redivivo e escuta-lhe a voz.

Aterrado, reconhece os enganos em que vivera.

Entretanto, não perde tempo em lamentações inúteis.

Não sucumbe desesperado.
Não se confia à volúpia da autocondenação.
Não foge à luta pela renovação íntima.
Percebe que não pode recolher, de pronto, a simpatia da família espiritual de Jesus, mas não se sente fracassado por isso.
Observa a extensão dos próprios erros, mas não se entrega ao remorso vazio.
Empreende, com sacrifício, a viagem da própria renovação.
Para tanto, não reclama a cooperação alheia, mas dispõe-se, ele mesmo, a colaborar com os outros.
Encontra imensas dificuldades para a iluminação da alma; no entanto, não esmorece na luta.
Segundo a palavra fiel do Novo Testamento, é açoitado e preso, várias vezes, pelo amor com que ensinava a verdade, mas, em contraposição, na Licaônia e na Macedônia, foi tido como sendo "Mercúrio" encarnado e "Servo do Pai altíssimo".
Não se sente, todavia, esmagado pela flagelação ou confundido pelo êxito.
Tolera assaltos e elogios como o pagador correto, interessado no resgate das próprias contas.
Diz ainda a Boa-Nova que "Deus operava maravilhas pelas mãos dele"; entretanto, ele próprio declara trazer consigo "um espinho na carne" que o obriga a viver em provação permanente.
E, enquanto o corpo lhe permite, dá testemunho da realidade espiritual, combatendo ignorância e superstição, maldade e orgulho, tentação e vaidade.
Nem ouro fácil.
Nem privilégios.
Nem cidadela social.
Nem apoio político.
Ele e o tear que o ajudava a sustentar-se ficaram, através dos séculos, como símbolo perfeito de influência pessoal e meio

adverso, ensinando-nos a todos, principalmente a nós outros, encarnados e desencarnados de todos os tempos, que podemos pedir orientação, falar em orientação, examinar os sistemas de orientação, mas que, acima de tudo, precisamos ser a própria orientação em nós mesmos.

33
Incrédulos

Reunião pública de 9/5/60
Cap. XXXI – Dissertação VI

Regozijar-se-iam, sim, com a verdade que nos enriquece de otimismo e consolo!

Se pudessem, acalentariam a claridade da fé com a emoção dos cegos que recobrassem repentinamente a visão diante da alvorada, deslumbrados de júbilo...

Se pudessem, estariam erguidos à confiança como árvores generosas levantadas para o céu.

Contudo, transitam na Terra à feição de alienados mentais que a Ciência não vê.

Terrenos devastados pelo incêndio das paixões acabaram dominados pelos vermes do materialismo, que lhes corroem os últimos embriões de esperança, muitas vezes em festins de sarcasmo.

Quereriam vibrar ao calor da convicção na sobrevivência, mas trazem o coração enregelado pela névoa da morte.

São legisladores e não procuram as leis profundas que regem a vida, são professores e não conhecem a essência das lições que transmitem, são médicos e não auscultam os princípios sutis que organizam as formas, são juízes e não estudam as reações do destino nas vítimas do mal que lhes são dadas a exame, são advogados e não identificam a santidade do Direito, são artistas e não buscam a glória oculta da Arte, são operários e não percebem a substância divina do trabalho, são pais e mães e não pressentem a sabedoria com que se lhes estrutura o alicerce do lar.

Incrédulos, tateiam na sombra que lhes verte do cérebro mergulhado na incompreensão.

Não lhes agraves os padecimentos com palavras amargas!

Injuriando-lhes as opiniões, mais abriremos as feridas que lhes sangram no peito.

O azedume estabelece, para os espíritos viciados na irritação, seis modalidades de tributos calamitosos: a perda do trabalho, a perda do auxílio, a perda do equilíbrio, a perda da afeição, a perda da oportunidade e a perda de tempo.

Diante deles, nossos irmãos que se tresmalharam na irresponsabilidade e no desespero, desdobremos a abnegação, a tolerância e a caridade, multiplicando as obras da educação e os valores espontâneos do bem, porque toda criatura que nega a paternidade de Deus e recusa admitir a existência da própria alma está carecendo de socorro no hospital da oração e no abrigo do bom exemplo.

34
Desertores

Reunião pública de 13/5/60
Item 220, subitens 1 a 3

Médiuns desertores não são apenas aqueles que deixam de transmitir com fidelidade sinais e palavras, avisos e observações da Esfera Espiritual para a Esfera Física.

De criatura a criatura flui a corrente da vida, e todos nós, encarnados e desencarnados de qualquer condição, estamos conclamados a lutar pela vitória do Bem Eterno.

Desertores são igualmente:

os que armazenam o pão sem proveito justo, convertendo cereais em cifrões vazios;

os que pregam virtudes religiosas e sociais, acolhendo-se em trincheiras de usura;

os que fecham escolas, escancarando prisões;

os que transformam as chaves da Ciência em gazuas douradas;

os que levantam casas de socorro, desviando recursos que deveriam ser aplicados para sanar as dores do próximo;

os que exterminam crianças em formação, garantindo a impunidade no silêncio das próprias vítimas;

as mães que, sem motivo, emudecem as trompas da vida no santuário do próprio corpo, embriagando-se de prazeres que vão estuar na loucura;

os que aviltam a inteligência, vendendo emoções na feira do vício;

os que se afogam lentamente no álcool;

os que matam o tempo para que o tempo não lhes dê responsabilidade;

os que passam as horas censurando atitudes de outrem, olvidando os deveres que lhes competem;

os que andam no mundo com todos os desejos satisfeitos;

os que não sentem necessidade de trabalhar;

os que clamam contra a ingratidão sem examinar os problemas dos supostos ingratos;

os que julgam comprar o Céu, entregando um vintém ao serviço da caridade e reservando milhões para enlouquecer os próprios descendentes nos inventários de sangue e ódio;

os que condenam e amaldiçoam, em vez de compreender e abençoar;

os que perderam a simplicidade e precisam de uma torre de marfim para viver;

os que se fazem peso morto, dificultando o curso das boas obras...

Deserção! Deserção! Se trazemos semelhante chaga, corrigenda para nós!...

E se a vemos nos outros, compaixão para eles!...

35
Caridade e tolerância

Reunião pública de 16/5/60
Cap. XXXI – Dissertação XIII

Milhares de criaturas esperavam-no coroado de louros numa carruagem de glória.

Ele, o Grande Renovador, deveria surgir numa apoteose de exaltação individual.

O trono dourado.
O cetro imponente.
O laurel dos triunfadores.
A túnica solar.
Os olhos injetados de orgulho.
O verbo supremo.
A exibição de riquezas.
Os espetáculos de poder.
A escolta angélica.

As sentenças inapeláveis.

* * *

Jesus, porém, caminha entre os homens à maneira de servidor vulgar, de vilarejo em vilarejo.
Veste-se conforme as usanças dos que o cercam.
Apostoliza em lares e barcos emprestados.
Ouve atenciosamente mulheres consideradas desprezíveis.
Atende a homens conhecidos por malfeitores.
Serve-se à mesa de pessoas classificadas como indignas.
Abraça crianças desamparadas.
Socorre doentes anônimos.
Acolhe a todos por amigos, a ponto de aceitar como discípulo aquele que desertaria, dominado pela ambição.
Recebe remoques e injúrias de quantos lhe exigem sinais do espírito.
E parte do mundo, banido, entre ladrões, sob violência e sarcasmo; no entanto, em circunstância alguma condena ou amaldiçoa, mas suporta e ajuda sempre, respeitando nos seus ofensores filhos de Deus que o tempo renovará.

* * *

Também na Doutrina Espírita, indene de todo cárcere dogmático, a indagação campeia livremente.
Cristianismo Redivivo, qual acontecia na época da presença direta do Senhor, junto dela hoje enxameiam, de mistura com os corações generosos que amam e auxiliam, as antigas legiões dos desesperados, dos escarnecedores, dos indecisos, dos investigadores contumazes, dos inquisidores da opinião, dos perseguidores gratuitos, dos gênios estéreis, dos céticos

frios e dos ignorantes sequiosos de privilégios, por doentes da alma...

Entretanto, se Jesus, que foi o Embaixador divino, para manter-se ligado à Esfera Superior, exerceu a caridade e a tolerância em todos os graus, como fugir delas, nós, Espíritos endividados perante a Lei, necessitados do perdão e do amparo uns dos outros?

É por isso que, em nossas atividades, precisamos todos de obrigação cumprida e atitude exata, humildade vigilante e fé operosa, com a caridade e a tolerância infatigáveis para com todos, sem desprezar a ninguém.

36
Tua parte

Reunião pública de 20/5/60
Item 233

Toda produção medianímica é a soma do mensageiro espiritual com o médium e as influências do meio.

Partilhando a equipe de intercâmbio, a parcela de teu concurso é inevitável na equação.

Em cada setor de trabalho, a obra dá sempre o troco do que lhe damos.

A vida conta em ti mesmo o que lhe fazes.

O campo dá notícias do lavrador.

* * *

Por mais respeitável seja o médium a quem recorras, não exijas que ele forneça, sozinho, a solução de tuas necessidades, porque o Criador fez a Criação de tal modo que todas as criaturas se interdependam em qualquer construção, por mais simples que seja.

Se entre os ingredientes de um bolo for adicionada pequena colher de cinza a dezenas de colheres outras de material puro e nobre, o elemento estranho deturpará toda a peça, ainda mesmo quando preparado num vaso de ouro.

Paganini tocava numa corda só, mas a cravelha e o braço, o cavalete e o tampo harmônico do violino sustentavam a melodia.

Ticiano pintava admiravelmente aos 99 anos, contudo, não dispensava paletas e pincéis, telas e tintas na condição adequada.

Um técnico de eletricidade fará luz, banindo as trevas de qualquer parte; no entanto, necessitará de recursos com que possa captar, dinamizar, distribuir e reter a força.

* * *

E não digas que apenas a má-fé provoca o desastre quando o desastre aparece.

Desleixo é crueldade em máscara diferente.

Se um malfeitor coloca deliberadamente uma pedra no leito da ferrovia para descarrilar o comboio, ou se o guarda desprevenido esquece o calhau no trilho, o efeito é sempre o mesmo.

Se queres a sopa imaculada, traze prato limpo à beira da concha.

Médiuns e mediunidades poderão prestar-te grandes favores, mas, para que atuem com segurança e correção, no serviço que te é necessário, precisam igualmente de segurança e correção na parte que te compete.

37
Dever espírita

Reunião pública de 23/5/60
Item 137

Com muita propriedade, afirmou Allan Kardec que os Espíritos elevados se ligam de preferência aos que procuram instruir-se.

E quem busca instruir-se escolhe o caminho do esforço máximo.

Todo educandário é instituto de disciplina.

Entretanto, aqui e ali, aparecem alunos viciados em recreio e preguiça, suborno e cola.

Estes, contudo, podem obter as mais brilhantes situações no jogo das aparências, mas nunca o respeito e a confiança dos professores dignos do título que conquistaram.

* * *

Na Doutrina Espírita, escola maternal de nossas almas, há mais de um século, surgem aprendizes de todas as condições.

Aos que pediam fenômenos para alicerçar a convicção, foi concedida pelos instrutores da humanidade a mais alta cópia de francas demonstrações da sobrevivência.

As pesquisas rigorosamente científicas de William Crookes e as respostas positivas do Plano Espiritual valeram por insofismável testemunho da verdade a benefício de todo o orbe, e, porque os discípulos da Nova Revelação se espalhassem por toda a parte, as experiências foram examinadas e são, até hoje, reexaminadas sob variada nomenclatura em todas as direções.

Os tarefeiros do ensinamento espírita, por isso, não podem esquecer a obrigação de preservá-lo a cavaleiro de todas as investidas dos alunos ociosos, que nada procuram senão divertir e polemizar.

Vê-los-emos em todos os lugares, sempre dispostos a pentear as ocorrências e expor de público as caspas recolhidas para o espetáculo das discussões sem proveito.

* * *

Resguardemos a mensagem edificante do Espiritismo contra aqueles que tomam o fruto da lição, perdendo tempo em repetidas e inúteis perquirições sobre a casca, com deliberado abandono da substância.

Há dois milênios, agita-se a opinião da Terra em torno do Cristo, organizando-se, em nome dele, guerras e conchavos, disputas e controvérsias, dietas e conselhos, interpretações e perseguições, mas o que permanece firme, através do tempo, é a palavra do Evangelho.

Armem-se os caçadores de fenômenos como desejem e detenham, como puderem, os elementos que a vida endereça à necessária renovação.

Todo fenômeno edifica, se recebido para enriquecer o campo da essência.

Quanto a nós, porém, estejamos fiéis à instrução, desmaterializando o Espírito, tanto quanto possível, para que o Espírito se conheça e se disponha a brilhar.

38
Faixas

Reunião pública de 27/5/60
Item 285

Comunicação espiritual não é privilégio da organização mediúnica.

O pensamento é idioma universal e, compreendendo-se que o cérebro ativo é um centro de ondas em movimento constante, estamos sempre em correspondência com o objeto que nos prende a atenção.

Todo Espírito, na condição evolutiva em que nos encontramos, é governado essencialmente por três fatores específicos, ou, mais propriamente, a experiência, o estímulo e a inspiração.

A experiência é o conjunto de nossos próprios pensamentos.

O estímulo é a circunstância que nos impele a pensar.

A inspiração é a equipe dos pensamentos alheios que aceitamos ou procuramos.

* * *

Tanto quanto te vês compelido diariamente a entrar na faixa das necessidades do corpo físico, pensando, por exemplo, na alimentação e na higiene, és convidado incessantemente a entrar na faixa das requisições espirituais que te cercam.

Um livro, uma página, uma sentença, uma palestra, uma visita, uma notícia, uma distração ou qualquer pequenino acontecimento que te parece sem importância pode representar silenciosa tomada de ligação para determinado tipo de interesse ou de assunto.

Geralmente, toda criatura que ainda não traçou caminho de sublimação moral a si mesma assemelha-se ao viajante entregue, no mar, ao sabor das ondas.

Receberás, portanto, variados apelos, nascidos do campo mental de todas as inteligências encarnadas e desencarnadas que se afinam contigo, tentando influenciar-te por meio das ondas inúmeras em que se revela a gama infinita dos pensamentos da Humanidade, mas, se buscas o Cristo, não ignoras em que altura lhe brilha a faixa.

Com a bússola do Evangelho, sabemos perfeitamente onde se localizam o bem e o mal, razão por que, dispondo todos nós do leme da vontade, o problema de sintonia corre por nossa conta.

39
Interpretação

Reunião pública de 30/5/60
Item 223, subitem 6

Não é tanto de fenômenos que necessita o Senhor a fim de evidenciar-se entre os homens, embora os fenômenos consigam alicerçar a convicção.

O espetáculo que assombra raramente ajuda a discernir.

Uma chuva de meteoros suscita observações científicas, mas não interfere em questões de conduta.

* * *

Não é tanto de palavras que o Senhor necessita a fim de revelar-se entre os homens, embora as palavras sejam recursos imprescindíveis na extensão do Reino de Deus.

A discussão que contunde raramente ajuda a discernir.

O mais nobre orador pode representar-se num disco.

* * *

Não é tanto de raciocínio que o Senhor necessita a fim de mostrar-se entre os homens, embora os raciocínios cooperem na sublimação da inteligência.
O cálculo que exagera raramente ajuda a discernir.
O cérebro eletrônico é precioso auxiliar da cabeça, mas desconhece os problemas do coração.

* * *

Não é tanto de dinheiro que o Senhor necessita a fim de externar-se entre os homens, embora o dinheiro seja elemento importante na lavoura do bem.
O ouro que descansa raramente ajuda a discernir.
Uma casa bancária não tem livros para registro de sentimentos.

* * *

Não é tanto de competições que o Senhor necessita a fim de patentear-se entre os homens, embora as competições colaborem na conquista da habilidade.
A concorrência que apaixona raramente ajuda a discernir.
A multidão aristocrática que se comprime no turfe de vez em vez grita e chora, aplaudindo um vencedor, e esse vencedor é sempre um cavalo.

* * *

Para sermos fiéis na interpretação do Senhor, junto daqueles que nos rodeiam, precisamos, acima de tudo, da paciência e do amor, porque só a paciência trabalha sem cessar, construindo o progresso e a compreensão, e só o amor é poder que realmente transforma a vida.

40
Verbo e atitude

Reunião pública de 3/6/60
Item 263

Disse um grande filósofo:
— Fala para que eu te veja.
Muita gente acrescentará:
— Escreve para que eu te veja melhor.
E ousaríamos aduzir:
— Age para que eu te conheça.
Julgarás o amigo pela linguagem que use; entretanto, para além da apreciação vulgar, todos necessitamos do justo discernimento.

* * *

Marat falava com mestria, arrebatando o ânimo da multidão, mas instigava a matança dos compatriotas que não lhe esposassem as diretrizes.

Marco Aurélio, o imperador chamado magnânimo, escrevia máximas de significação imortal; no entanto, ao mesmo tempo, determinava o martírio de cristãos indefesos, acreditando, com isso, homenagear a virtude.

O *Werther*, de Goethe, é um romance de magnífica expressão literária, mas não deixa de ser vigorosa indução ao suicídio.

As declarações de guerra são, de modo geral, documentos primorosamente lavrados; todavia, representam a miséria e a morte para milhões de pessoas.

Há jornalistas e escritores que figuram na galeria dos mais sábios filólogos, e, apesar disso, molham a pena em sangue e lama para gravarem as ideias com que acentuam os sofrimentos da Humanidade.

* * *

Tanto quanto possível, escrevamos corretamente sem a obsessão do dicionário.

A gramática é a lei que preside a esfera das palavras.

A instrução cerebral, porém, quando sem bases no sentimento, é semelhante à luz exterior.

Há luz na lâmpada disciplinada que auxilia e constrói, e há luz no fogo descontrolado que incendeia e consome.

Identifica o mensageiro, encarnado ou desencarnado, pela mensagem que te dê, mas, se é justo lhe afiras a cultura, é imprescindível que anotes a orientação que está dentro dela.

O navio pode ser muito importante, mas é preciso ver o rumo para o qual se encaminha o leme.

Se o verbo apresenta, a atitude dirige.

É por isso que Jesus nos advertiu:
— Seja o vosso falar sim, sim; e não, não.

41
Formação mediúnica

Reunião pública de 6/6/60
Item 200

Anotando a formação mediúnica, comparemo-la aos serviços do solo.
A terra desdobra recursos para sustentação do corpo.
A mediunidade cria valores para alimento do espírito.

* * *

A terra, mesmo quando possuída pela floresta brava, produz, de maneira mecânica, se lhe atiramos algumas sementes; contudo, a lavoura, nesse regime, surgirá em condições anômalas.
A mata dominante abafará, decerto, as plantas nascituras.
Animais compareçam na posição de primitivos donos da gleba, injuriando-lhes as folhas.

Vermes destruidores ameaçam-nas a cada instante.

Enxurrada e sombra constantes constituem-lhes empeço à vida.

Mas se o trato de selva for cultivado contra a invasão de todo elemento estranho e mantido em trabalho, conseguiremos, em breve, o celeiro de pão, seguro e rico.

Também a mediunidade, mesmo quando encravada no psiquismo de alguém que paixões subalternas dominam, produz, de maneira mecânica, quando se lhe entrega determinado gênero de ação; contudo, a tarefa, nesse regime, surgirá em condições anômalas.

Tendências infelizes abafarão decerto a obra recém-nata.

Sentimentos inferiores compareçam na posição de primitivos senhores da alma, inutilizando-lhe as promessas.

Agentes da discórdia ameaçam-na a cada instante.

Lodo moral e perseguição gratuita constituem-lhe empeço à vida.

Mas se a personalidade mediúnica for educada contra a invasão de toda sombra de ignorância e mantida em serviço, conseguiremos, em breve, o celeiro de luz, seguro e rico.

* * *

Não há desenvolvimento mediúnico para realizações sólidas sem o aprimoramento da individualidade mediúnica.

No caso da terra, o lavrador será mordomo vigilante.

No caso da mediunidade, o médium será o zelador incansável de si mesmo.

E médium algum se esqueça de que é na terra boa abandonada que a praga e a serpente, o espinheiro e a tiririca proliferam mais e melhor.

42
Mediunidade e imperfeição

Reunião pública de 10/6/60
Item 220, subitens 12 a 14

Repara quantas vezes necessitas de perdão e de auxílio.

Erraste na oficina em que dignificas o próprio nome, mas não vacilas em pedir novas oportunidades de serviço e de confiança.

Deves quantia importante e não podes pagar no momento certo; contudo, não hesitas rogar o benefício da moratória.

Sofres com as faltas do filho que a vida te confiou; no entanto, esperas regenerá-lo em novas experiências.

Amas profundamente alguém que o vício ainda ensombra; entretanto, não temes avalizar-lhe os compromissos de reajuste.

* * *

Encontrarás, porém, aqueles que não sofreram bastante para escusar as deficiências alheias, habitualmente empoleirados nas altas janelas das torres de marfim a que se acolhem para contar as feridas dos que passam na rua da provação.

Exigem que os outros sejam modelos completos de heroísmo e grandeza moral, mas não se dispõem a minorar-lhes o fardo de aflições que transportam.

Acusam a Terra como sendo um presídio de chagas, mas comem-lhe o pão, inicialmente elaborado no trato de lama que a enxada disciplinou.

Julgam encontrar em cada irmão do caminho um criminoso potencial; contudo, não examinam a si mesmos a fim de ver até que ponto hão sido resistentes às tentações.

* * *

Se tens a consciência desperta perante as necessidades da própria alma, entenderás facilmente que a mediunidade é recurso de trabalho como qualquer outro que se destine à edificação.

Por enquanto, no mundo, não há médiuns perfeitos como não existem criaturas humanas perfeitas.

Cada instrumento medianímico, tanto quanto cada pessoa terrestre, carrega consigo determinadas provas e problemas determinados.

A mediunidade é ensejo de serviço e aprimoramento, resgate e solução.

43
Mediunidade e alienação mental

Reunião pública de 13/6/60
Item 221, subitem 5

Quantos não se resignam com as verdades que a Doutrina Espírita veio descerrar à mente humana, há mais de um século, dizem, inconscientemente, que a mediunidade gera a loucura.

E multiplicam teorias complicadas que lhes justifiquem o modo de pensar, observando-a simplesmente como "estado mórbido", dando a ideia de especialistas que apenas examinassem os problemas do homem natural através do homem doente.

***

Considerando-se a mediunidade como percepção peculiar à estrutura psíquica de cada um de nós, encontrá-la-emos nos mais diversos graus em todas as criaturas.

À vista disso, podemos situá-la facilmente no campo da personalidade, entre os demais sentidos de que se serve o Espírito, a fim de expressar-se e evolver para a vida superior.

Não ignoramos, porém, que os sentidos transviados conduzem fatalmente à deturpação e ao desvario.

Os olhos são auxiliares imediatos dos espiões e dos criminosos que urdem a guerra e povoam as penitenciárias; contudo, por esse motivo, não podem ser acusados como fatores de delinquência.

Os ouvidos são colaboradores diretos da crueldade e da calúnia que suscitam a degradação social, mas não apresentam, em si mesmos, semelhantes desequilíbrios.

As mãos, quando empregadas na fabricação de bombas destruidoras, são operárias da morte; entretanto, não deixam de ser os instrumentos sublimes da inteligência em todas as obras-primas da Humanidade.

O sexo, que constrói o lar em nome de Deus, por toda parte é vítima de tremendos abusos pelos quais se amplia terrivelmente o número de enfermos cadastrados nos manicômios; contudo, isso não é razão para que se lhe deslustre a missão divina.

* * *

A manifestação é da instrumentalidade.

O erro é da criatura.

A faculdade mediúnica não pode, assim, responsabilizar-se pela atitude daqueles que a utilizam nos atos de ignorância e superstição, maldade e fanatismo.

E qual acontece aos olhos e aos ouvidos, às mãos e ao sexo que dependem do comando mental, a mediunidade, acima de tudo, precisa levantar-se e esclarecer-se, edificar-se e servir, com bases na educação.

44
Ser médium

Reunião pública de 17/6/60
Item 223, perg. 10

Abraçando a mediunidade, muitos companheiros na Terra adotam posição de absoluta expectativa, copiando a inércia dos manequins.

Concentram-se mentalmente e aguardam, imóveis, nulificados, a manifestação dos Espíritos Superiores, esquecendo-se de que o verdadeiro servidor assume sempre a iniciativa da gentileza na mais comezinha atividade doméstica.

***

Vejamos a lógica do cotidiano.

Um diretor de escritório não exigirá que o auxiliar se faça enciclopédia humana, a fim de receber-lhe a cooperação; mas solicita seja ele uma criatura ordeira e laboriosa, com a necessária experiência em assuntos de escrita.

Um médico não reclamará do enfermeiro uma certidão de grandeza moral para aceitar-lhe o concurso; no entanto, contará seja ele pessoa operosa e sensata, com a precisa dedicação aos doentes.

O proprietário de um ônibus não se servirá da atenção do farmacêutico em sua oficina; mas procurará um motorista que não apenas saiba manobrar o volante, mas que o ajude também a conservar o carro.

O farmacêutico, a seu turno, não se utilizará da atenção de um motorista em sua casa, mas procurará um colaborador que não apenas saiba vender remédios, mas que o ajude também a aviar as receitas.

Cada trabalhador permanece em sua própria tarefa, embora a interdependência seja o regime da vida apontado a todos.

* * *

Ser médium é ser ajudante do Mundo Espiritual. E ser ajudante em determinado trabalho é ser alguém que auxilia espontaneamente, descansando a cabeça dos responsáveis.

Se não podes compreender isso, observa o avião, por mais simples que seja ele. Tudo é amparo inteligente e ação maquinal no comboio aéreo. Torres de observação esclarecem-lhe a rota e vigorosos motores garantem-lhe a marcha.

Mas tudo pode falhar, se falharem o entendimento e a disciplina no aviador que está dentro dele.

45
Imagina

Reunião pública de 20/6/60
Item 268, perg. 12

Imagina-te pussuindo irmãos furtados do teu lar quando pequeninos.

Arrebatados ao teu afeto, foram aprisionados e cresceram em regime de cativeiro, quais bois na canga, conduzindo a cabeça do arado ou sustentando a moenda.

Traficados como alimárias, erguiam-se com a aurora e suavam no eito, enquanto o dia tivesse luz.

Se doentes, tinham remédio nas próprias lágrimas.

Se chorosos, recebiam repetidas chicotadas para consolo.

Embora amassem profundamente os seus, eram constrangidos a contemplar, soluçando, as próprias esposas vendidas a mãos mercenárias e os tenros filhinhos entregues à lavagem amontoada no cocho.

Desejariam estudar, mas eram propositadamente arredados da escola.

E se mostrassem qualquer anseio de liberdade, eram postos a ferro e varados até a morte...

* * *

Imagina igualmente que esses irmãos menos felizes, criados distantes de teu carinho, se comunicassem do Plano Espiritual com as criaturas terrestres e fossem motivo de hilaridade pela linguagem primitivista em que ainda se expressam.

Pensa neles como estando ainda algemados aos caprichos daqueles mesmos que lhes deviam respeito e renovação e que continuam a tê-los como cães amestrados para objetivos inferiores.

Explorados em seus bons sentimentos, em regressando ao mundo onde foram supliciados na confiança ingênua, são mantidos, em Espírito, como vítimas e jograis.

* * *

Imagina tudo isso e sentirás o coração confranger-se de imensa dor ao ver companheiros desencarnados iludidos na boa-fé.

Longe de explorá-los com perguntas indiscretas e ordenações deprimentes, saberás ajudá-los pela bênção do amor.

E entenderás, então, que, se todos endereçamos aos instrutores da Vida Maior petitórios constantes de socorro e de paciência, cada um deles também, diante de nós, exibe no coração as quatro palavras de nossa velha súplica:

— Tem dó de mim!

46
União

Reunião pública de 24/6/60
Cap. XXXI – Dissertação XX

Compadece-te e ajuda a fim de que possas servir na união para o bem.

Não fosse a bondade do lavrador que ampara a semente seca, não receberias na mesa o conforto do pão.

Não fosse o trabalho do operário que assenta tijolo por tijolo, não disporias de segurança no alicerce do próprio lar.

Isso acontece nos elementos mais simples.

* * *

Repara, porém, a atitude da vida para que ninguém falte à comunhão do progresso.

Não condena ela o paralítico porque não ande.

Dá cadeira de rodas.
Não malsina os olhos enfermos.
Brune lentes protetoras.
Não relega os mutilados à própria sorte.
Faz recursos mecânicos.
Não se revolta contra os ignorantes que lhe torcem as diretrizes.
Acende a luz da escola.
Não aniquila os loucos que lhe injuriam as leis.
Acolhe-os generosamente no regaço do hospício.

* * *

Imitando o sentimento da vida, sejamos, uns para os outros, quando preciso, a muleta e o remédio.

Olvidemos os defeitos do próximo, na certeza de que todos nos encontramos sob o malho das horas, na bigorna da experiência.

Tolerância é o cimento da união ideal.

E só a união faz a força.

Entretanto, há força e força.

Reúnem-se milhões de gotas e criam a fonte.

Congregam-se milhões de fagulhas e formam o incêndio.

Pensa um pouco e entenderás que é sempre muito fácil ajuntar os interesses da Terra e fazer a união para o bem da força, mas apenas entesourando as qualidades do Cristo na própria alma é que nos será possível, em verdade, fazer a união para a força do bem.

47
Clarividência

Reunião pública de 27/6/60
Item 167

Como acontece na alimentação do corpo, a visão, no campo da alma, é diferente para cada um.

O tubo digestivo recebe o que se lhe dá, mas a assimilação do recurso ingerido obedece à disposição mais íntima dos mecanismos orgânicos.

Os olhos, igualmente, veem tudo; no entanto, a interpretação do que foi visto corre à conta dos processos mentais.

É por isso que todo fenômeno de clarividência solicita filtragem no crivo da razão.

* * *

Determinado médium informa ter visto inolvidáveis personalidades da História.

Possivelmente, estará dizendo uma verdade.

Essa verdade, porém, pede estudo das condições circunstanciais.

Vejamos como o assunto é delicado na esfera dos próprios homens.

Se uma pessoa só e desavisada fosse levada a ver uma cópia da *Assunção*, de Murillo, num arranjo cinematográfico, acreditaria contemplar a venerável Maria de Nazaré escalando os céus, rodeada de anjos, quais pássaros graciosos, segundo a concepção do admirado pintor espanhol.

A figura de qualquer comandante de Estado, nos tempos modernos, pode ser vista, a longa distância, através da televisão e, se uma criatura isolada e desprevenida fitasse a imagem falante, estaria naturalmente convicta de haver entrado em contato direto com o comandante televisionado.

* * *

Enquanto a observação mediúnica não se generalizar mais extensamente na Terra, provocando mais amplas conclusões do chamado "consenso geral", a mensagem da clarividência demanda considerações específicas.

Com isso não queremos dizer que esse ou aquele apontamento mediúnico deva ser desprezado, pois que em mediunidade tudo é ensinamento digno de atenção.

Ponderamos apenas o impositivo de estudo, a fim de que a interpretação particular não se dirija para as raias do ilógico.

Para ilustrar as nossas afirmativas, vejamos o arco-íris a desdobrar-se diante da multidão. Efetivamente, quando surge na beleza das sete cores, parece uma coroa sublime, propositadamente desenhada por algum geômetra invisível na glória do firmamento; entretanto, a maravilha celeste não tem qualquer expressão substancial por estruturar-se em simples jogo de luz...

48
Faculdades mediúnicas

Reunião pública de 1/7/60
Item 159

"Há diversidade de dons espirituais, mas a Espiritualidade é a mesma.
    Há diversidade de ministérios, mas é o mesmo Senhor que a todos administra.
    Há diversidade de operações para o bem; todavia, é a mesma Lei de Deus que tudo opera em todos.
    A manifestação espiritual, porém, é distribuída a cada um para o que for útil.
    Assim é que a um, pelo Espírito, é dada a palavra da Sabedoria divina e a outro, pelo mesmo Espírito, a palavra da ciência humana.
    A outro é confiado o serviço da fé e a outro os dons de curar.
    A outro é concedida a produção de fenômenos, a outro a profecia, a outro a faculdade de discernir os Espíritos, a outro

a variedade das línguas e ainda a outro a interpretação dessas mesmas línguas.

No entanto, o mesmo poder espiritual realiza todas essas coisas, repartindo os seus recursos particularmente a cada um, como julgue necessário."

* * *

Quem analise despreocupadamente o texto acima decerto julgará estar lendo moderno autor espírita, definindo o problema da mediunidade; contudo, as afirmações que transcrevemos saíram do punho do apóstolo Paulo há dezenove séculos e constam no capítulo doze de sua primeira carta aos coríntios.

Como é fácil de ver, a consonância entre o Espiritismo e o Cristianismo ressalta, perfeita, em cada estudo correto que se efetue, compreendendo-se na mensagem de Allan Kardec a chave de elucidações mais amplas dos ensinos de Jesus e dos seus continuadores.

Cada médium é mobilizado na obra do bem conforme as possibilidades de que dispõe.

Esse orienta, outro esclarece; esse fala, outro escreve; esse ora, outro alivia.

* * *

Em mediunidade, portanto, não te dês à preocupação de admirar ou provocar admiração.

Procuremos, acima de tudo, em favor de nós mesmos, o privilégio de aprender e o lugar de servir.

49
Tesouros ocultos

Reunião pública de 4/7/60
Item 295, perg. 30

Ainda existe quem se dirija aos companheiros desencarnados perguntando por tesouros ocultos.

Tais consulentes, guardando imaginação doentia, mentalizam recipientes encravados no subsolo ou no corpo de lodosas paredes a vazarem moedas e preciosidades que lhes atendam aos pruridos de usura.

E martelam a mediunidade inexperiente e pedem sonhos reveladores...

Mas os amigos espirituais realmente esclarecidos tudo fazem para que os irmãos da escola física não encontrem semelhantes bombas douradas que, provavelmente, lhes explodiriam nas mãos em forma de crime.

* * *

Entretanto, cada criatura humana surge do berço para descobrir os talentos que traz, independentemente da fortuna terrestre, a fim de ajudar aos outros, valorizando a si mesma.

A mulher e o homem aproveitam o amor que dimana gratuitamente de Deus e erguem o santuário do lar em que se escondem imperecíveis tesouros da alma.

O professor emprega palavras que não têm preço amoedado e amontoa os tesouros da cultura e da inteligência.

O escritor respeitável utiliza as letras do alfabeto ao alcance de todos e estabelece os tesouros do livro nobre que estende consolação e assegura o progresso.

E o compositor apropria-se das sete notas musicais que desconhecem a existência do ouro e oferece indistintamente, no mundo, os tesouros da melodia.

* * *

Somente o trabalho consegue formar os verdadeiros tesouros da vida.

Ainda assim, é indispensável que saibamos distinguir a ação digna da exploração inferior.

Os cultivadores da coca e da papoula, que abusam dessas plantas medicinais, transformando-as em filões de dinheiro no mercado escuso da cocaína e do ópio, dizem que trabalham e apenas fazem os viciados e os infelizes.

É preciso saber o que produzimos a fim de sabermos para onde nos dirigimos, porquanto o próprio Jesus afirmou, convincente: "onde guardardes o vosso tesouro, tereis retido o coração".

E as palavras do Mestre Divino tanto se referem às claridades do bem quanto às sombras do mal.

50
Irmãos-problemas

Reunião pública de 8/7/60
Item 254, perg. 1

São sempre muitos.

Contam-se, às vezes, por legiões.

Acham-se encarnados entre os homens e caminham semeando revolta.

Mostram-se desencarnados da esfera física e comunicam a peçonha do desespero.

Facilmente identificáveis, sinalizam a rebeldia.

Falam em dever e inclinam-se à violência, referem-se ao direito e transformam-se em vampiros.

Criam a dor para os outros, encarcerando-se na dor de si mesmos.

São vulgarmente chamados "Espíritos maus", quando, mais propriamente, são Espíritos infelizes.

Zombam de tudo o que lhes escape ao domínio, supõem-se invencíveis na cidadela do seu orgulho, escarnecem dos mais altos valores da Humanidade e acreditam ludibriar o próprio Deus.

* * *

Decerto que esses irmãos, enredados a profundo desequilíbrio, estarão entre nós, adestrando-nos as forças mais íntimas para que aprendamos a auxiliar.

Não perguntes por que existem, de vez que emparelhávamos com eles, até ontem, quando padecíamos ignorância maior, nem exijas que os orientadores da Espiritualidade lhes suprimam a condição inferior a golpes de mágica, porquanto somos todos irmãos com necessidade natural de assistência mútua.

Cabe-nos, acima de tudo, a obrigação de secundar o trabalho daqueles que nos precederam e nos inspiram, realizando o melhor.

Para isso, não te digas inútil.

Se não prestássemos para as boas obras, por que razão nos daria Deus a flama da consciência e o sopro da vida?

Contudo, não basta pregar.

É preciso fazer.

Os companheiros infelizes, além de serem irmãos-problemas, são também nossos observadores de cada dia.

Embora com sacrifício, atende à tua parte de esforço na plantação da bondade e no suor do aperfeiçoamento.

Saibamos sofrer e lutar pela vitória do bem, com devotamento e serenidade, ainda mesmo perante aqueles que nos perseguem e caluniam, recordando sempre que, em todo serviço nobre, os ausentes não têm razão.

51
Bons Espíritos

Reunião pública de 11/7/60
Item 267, subitens 1 a 3

Quando em dificuldade, assinalas, contente, a mão que te oferta auxílio espontâneo.

Se sofres, adquires ânimo novo perante alguém que te reanima.

Doente, sabes ser reconhecido a quem te socorre.

Em erro, apresentas-te renovado diante daquele que te apoia o reajuste sem recorrer à condenação.

Solitário, encontras a presença do amor no companheiro que te dirige a boa palavra.

Sabes que te enganas muitas vezes, apesar do teu devotamento à verdade, e que, em muitas circunstâncias, pareces abraçar a ingratidão e a agressividade, não obstante o propósito de honrar a justiça, e, por esse motivo, dignificas todos aqueles que te estendam bondade e compreensão.

* * *

Respeitas quem te não dá prejuízo.
Admiras quem não te fere as convicções.
Estimas a quem te ajuda sem perguntar.
Abençoas a quem não te cria problemas.
Agradeces a quem te aprecia a nobre intenção.
Em suma, recolhes reconforto e felicidade junto de todo aquele que te aceita como és, amparando-te as necessidades sem exigir-te certificados de perfeição e exames de consciência.

* * *

Pelo auxílio que recebes, conheces, perfeitamente, o auxílio que podes prestar.
Identificarás, assim, facilmente, a condição do amigo desencarnado.
Se ele deseja comunicar-te o bem a que aspira em favor de si mesmo, não permitirá que faças ao próximo aquilo que não queres que te seja feito.
O bom Espírito, por isso, não é somente aquele que te faz bem, mas, acima de tudo, o que te ensina a fazer bem aos outros para que sejas igualmente um Espírito bom.

52
Pedidos

Reunião pública de 15/7/60
Item 291, perg. 18

Não peças aos amigos espirituais para que te rasguem um veio de ouro.

A fortuna imerecida pode sepultar-te o coração na cova da preguiça.

Não peças aos benfeitores da Vida Maior para que sejas conduzido ao leme do poder.

A autoridade inoportuna pode encurralar-te no fogo da violência.

Não peças aos instrutores de outras esferas que te ofertem segredos da perfeição corpórea.

A beleza efêmera pode situar-te no vício.

Não peças aos Mensageiros Divinos o privilégio da posse.

A posse mal conduzida atrai os milhafres da usura.

Não peças aos companheiros desencarnados os enfeites da fama.

A fama, sem alicerces respeitáveis, atrai as víboras da calúnia.

Não peças aos emissários do Senhor os regalos do conforto excessivo.

A escravidão do conforto excessivo atrai os gafanhotos da inveja.

Pede a todos eles para que te amparem o próprio aperfeiçoamento, porque, aprimorando a ti mesmo, perceberás que a existência na Terra é estágio na escola da evolução, em que o trabalho constante nos ensina a servir para merecer e a raciocinar para discernir.

53
A escola do coração

Reunião pública de 25/7/60
Item 341

O lar, na essência, é academia da alma.
Dentro dele, todos os sentimentos funcionam por matérias educativas.
A responsabilidade governa.
A afeição inspira.
O dever obriga.
O trabalho soluciona.
A necessidade propõe.
A cooperação resolve.
O desafio provoca.
A bondade auxilia.
A ingratidão espanca.
O perdão balsamiza.

A doença corrige.
O cuidado preserva.
O egoísmo aprisiona.
A renúncia liberta.
A ilusão ensombra.
A dor ilumina.
A exigência destrói.
A humildade refunde.
A luta renova.
A experiência edifica.

Todas as disciplinas referentes ao aprimoramento do cérebro são facilmente encontradas nas universidades da Terra, mas a família é a escola do coração, erguendo seres amados à condição de professores do espírito.

E somente nela conseguimos compreender que as diversas posições afetivas, que adotamos na esfera convencional, são apenas caminhos para a verdadeira fraternidade que nos irmana a todos, no amor puro, em sagrada união, diante de Deus.

54
Aptidão e experiência

Reunião pública de 29/7/60
Item 192

Queres ouvir os desencarnados de maneira correta.
Aspiras a enxergar nos reinos do espírito, sem nenhuma ilusão.
Pretendes cultivar o intercâmbio medianímico sem leve tisna de engano.
Estendes os braços e esperas por sublimes demonstrações.

* * *

Contudo, entre aptidão e experiência há sempre distância igual àquela que existe entre projeto e realidade.
Aptidão é planejamento.
Experiência é dedicação.

A aptidão aponta o professor.
A experiência faz o ensino.
A aptidão indica o tarefeiro.
A experiência cria a obra.
A aptidão sugere.
A experiência edifica.

* * *

Em mediunidade, qual acontece em qualquer outro serviço nobre, não há conquista relâmpago.

Se te propões a engrandecê-la, recorda os operários obscuros da evolução que passaram no Mundo antes de ti, lutando e sofrendo para que encontrasses o caminho melhor.

Nenhum deles ficou na estação do entusiasmo ou na porta do sonho.

O suor de semelhantes heróis anônimos transparece das leis com que te garantes, do alimento de que te nutres, da roupa que vestes, da estrada que percorres ou da casa que habitas.

Qualidade mediúnica é talento comum a todos.

Mas exercer a mediunidade como força ativa no ministério do bem é fruto da experiência de quantos lhe esposam a obrigação, por senda de disciplina e trabalho, consagrando-se, dia a dia, a estudar e servir com ela.

55
Espíritos perturbados

Reunião pública de 1/8/60
Item 292, perg. 22

É possível conhecê-los de perto.

Surgem, quase sempre, na categoria de loucos e desmemoriados, entre a negação e a revolta.

São criaturas desencarnadas, Espíritos que perderam o corpo físico e, porque se detiveram deliberadamente na ignorância ou na crueldade, não encontram agora senão as próprias recordações para viver e conviver.

Encerravam-se na avareza e prosseguem na clausura da sovinice.

Abandonavam-se à viciação e transformam-se em vampiros à procura de quem lhes aceite as sugestões infelizes.

Abraçavam a delinquência e sofrem o látego do remorso nos recessos da própria alma.

Confiavam-se à preguiça e carreiam a dor do arrependimento.

Zombavam das horas e não sabem o que fazer para que as horas não zombem deles.

São tantas as aflições que descobrem nas paisagens atormentadas da mente iludida que são eles — homens e mulheres que escarneceram da vida — os verdadeiros autores de todas as concepções de inferno, além da morte, que hão aparecido no mundo, desde a aurora da razão no campo da Humanidade.

* * *

Antigamente, a abordagem de semelhantes companheiros era obscura e quase que impraticável.

Hoje, porém, com a mediunidade esclarecida, é fácil aliviá-los e socorrê-los.

Podes, assim, vê-los e ouvi-los, nos círculos medianímicos, registrando-lhes as narrativas inquietantes e as palavras amargosas; no entanto, ajuda-os com respeito e carinho como quem socorre amigos extraviados.

Não te gabes, porém, de doutriná-los e corrigi-los, porque a Divina Bondade nos permite atendê-los, buscando, com isso, corrigir-nos e doutrinar-nos na Terra e além da Terra, a fim de que saibamos evitar todo erro, enquanto desfrutamos o favor do bom tempo.

56
O lado fraco

Reunião pública de 5/8/60
Item 226, perg. 10

Não apenas os médiuns.

Viste, muita vez, os melhores amigos iludidos na boa-fé.

Muitos que se acreditavam resguardados pelo dinheiro caíram em miserabilidade pela exaltação da própria cobiça.

Outros, que se supunham inacessíveis à tentação, desceram para as furnas do vício, arrastados pela fraqueza do sentimento.

Grandes inteligências, categorizadas por infalíveis, rolaram na lama por se haverem levantado em pedestais de orgulho.

Criaturas que consideravas como sendo poemas de beleza sublime desfiguraram-se à pressa, mostrando máscaras de agonia, pelo abuso de prazer.

Pregadores do heroísmo social e doméstico acabaram no suicídio, escorregando na vaidade.

Nobres tarefeiros do progresso pararam a máquina da própria ação em meio do caminho, corroídos pelo desânimo.

* * *

Ninguém existe, no mundo, invulnerável ao erro.

Todos nós, encarnados e desencarnados, em aprimoramento na Terra, somos sujeitos à ilusão pelos pontos frágeis que apresentemos na construção dos próprios valores para a Vida Maior.

Em várias circunstâncias, enganamo-nos, todos, em matéria de posse, em problemas de família, em questões de influência, em convites do sexo, em apelos a honrarias ou em assuntos que se referem à preservação de nosso conforto...

Se surpreendes, assim, o companheiro em posição de queda, ajuda-o a reerguer-se para o trabalho digno sem perda de tempo em comentários inúteis.

Se a natureza da falta te parece tão grave que te sentes inclinado à condenação dele, entra no mundo de ti mesmo e pede a Deus que te ilumine a alma.

E, através oração, a Bênção Divina te fará perceber onde guardas também contigo a brecha triste do lado fraco.

57
Futuro

Reunião pública de 8/8/60
Item 289, perg. 7

Se pesquisas praticamente o futuro, contempla a faixa de terra que o abandono confiou à secura.

Se não lhe estendes braços amigos, podes perfeitamente vaticinar-lhe o amanhã, porque o amanhã, para todo solo relegado ao desleixo, será sempre desolação.

Mas se lhe buscas a água viva no próprio seio, removendo areia e detrito, ninguém consegue prever a excelência do oásis que se erguerá do deserto.

Em verdade, toda gente avalia com segurança o futuro do mal quando o mal é conservado; entretanto, pessoa alguma conseguirá predizer toda a glória do bem quando o bem aparece.

* * *

Transplantemos a imagem para o campo da vida.

Se cultivas a intolerância, não precisas perguntar quanto à colheita de aversões que obterás fatalmente.

Se estimas o abuso, não precisas recorrer aos decifradores da sorte para conhecer o desequilíbrio a que te projetas.

Se foges ao dever que te cabe, não precisas inquirir adivinhadores para saber quanto doem as consequências da deserção.

Se contrais uma dívida, não precisas ouvir revelações de outro mundo para reconhecer a obrigação de pagar.

* * *

É possível tenhas contigo largo acervo de problemas trazidos do passado no que se refere a moléstias e tentações, compromissos e provas, entre dificuldades da vida e lutas da parentela, porque aquilo que é agora representa aquilo que tem sido justamente até hoje.

Não te percas, porém, a formular consultas quanto ao que possa haver nas telas do porvir, porquanto, se quiseres renovar-te no bem, alimentando o bem, todo o mal que te aflige será bem amanhã.

58
Equipe mediúnica

Reunião pública de 12/8/60
Item 331

No conjunto orquestral, cada instrumento deve ajustar-se à melodia, não obstante a maneira particularista com que se externe.

Também na equipe de serviço espiritual, cada mente precisa afinar-se com a tarefa, embora vibre em diversa expressão.

Não podes pensar com a cabeça dos outros; todavia, no círculo medianímico, qual acontece em qualquer obra de grupo, é indispensável te harmonizes com as ações a fazer.

Observa, assim, a onda em que te situas.

* * *

Se dizes de ti para contigo: "confio no médium", robusteces o contingente de forças para a realização do melhor; contudo, se adicionas: "mas duvido da sinceridade da assistência que o cerca", fazes imediatamente o contrário.

Se refletes: "quero ouvir o companheiro que ensina", estendes auxílio valioso ao amigo que se utiliza da palavra na pregação; entretanto, se acrescentas: "mas o orador fala em excesso", para logo entras a enfraquecê-lo.

Se afirmas intimamente: "a reunião é para mim um grande conforto", crias seguro apoio à produção de valores edificantes; no entanto, se aditas: "mas o trabalho é demorado e enfadonho", passas, de repente, a suprimir-lhe os efeitos benéficos.

* * *

Quem aprova e critica, ajuda e desajuda.

Nenhuma construção, porém, se levanta a golpes de marchas e contramarchas. Ao revés disso, reclama determinação e disciplina, perseverança e objetivo.

A reunião mediúnica é também assim.

Se queres cooperar, dentro dela, a fim de que produza frutos de ordem e elevação, consolo e ensinamento, repara, acima de tudo, a onda em que te colocas.

59
Revelações e preconceitos

Reunião pública de 15/8/60
Item 301, perg. 3

Inquires, muita vez, por que motivo os instrutores desencarnados silenciam determinados temas doutrinários em determinadas regiões.

Junto desse ou daquele povo, falam na reencarnação com veemência, enquanto que, junto de outros, parecem ignorá-la.

Aqui, relacionam as graves consequências do suicídio; adiante, como que apagam todas as referências em torno de semelhante calamidade, considerada, ainda, em certos agrupamentos raciais, como ponto de honra.

Em muitos lugares prestigiam as observações do fenômeno; em outros, destacam os merecimentos da escola.

* * *

Entretanto, é preciso reconhecer que há alimento físico e alimento espiritual. E tanto quanto existem idades e condições físicas, existem idades e condições espirituais.

É necessário, desse modo, observar os mecanismos gástricos e os mecanismos mentais de cada criatura em si mesma.

Não se administra à criança a alimentação devida ao adulto e não se oferece ao adulto a alimentação artificial da chupeta.

Há doentes que pedem soro para se equilibrarem.

Há enfermos que exigem a transfusão de sangue para fugirem da inanição.

E, em toda a parte, vemos pessoas que ainda não aprenderam a raciocinar por si mesmas, reclamando ideias àqueles que as dirigem, à maneira dos fetos que não podem manobrar os órgãos em formação, esperando sustento, pela endosmose, no claustro maternal em que se corporificam.

* * *

Estudemos a posição particular dos companheiros da caminhada humana, oferecendo-lhes a verdade dosada em amor.

A Divina Sabedoria não aprova princípios de violência.

Os próprios pais da Terra esperam, compassivos, pelo crescimento dos filhos a fim de entregá-los às bênçãos da Natureza, cada qual a seu tempo.

Contudo, porque a vida nos trace a todos o claro dever da tolerância fraterna, ensinando-nos a respeitar os preconceitos dos outros, não temos a obrigação de adorar ou louvar, propagar ou seguir preconceito algum.

60
Problema contigo

Reunião pública de 19/8/60
Item 220, perg. 14

Fugindo à mediunidade, muita gente acaba alegando:
— Não suporto o labirinto de opiniões.
— A divergência está em toda a parte.
— É muita exigência.
— Tentei, mas não pude.
— Não sou cobaia.
— Aguente quem quiser.
— Não quero complicações.
— É luta demais.
E acrescenta:
— Deus não castiga. E não é por eu deixar a mediunidade que o mundo se tornará pior.

* * *

Sim, o Criador não condena as criaturas, mas corrige as criaturas desajustadas por intermédio de suas leis.

Ele é a Sabedoria Infinita e determina, através da cultura, o erguimento da escola em socorro aos analfabetos, mas não arranca às trevas do espírito quantos se acomodam nas furnas da ignorância.

Ele é a Bondade Infinita e sugere, pela Ciência, a formação do remédio que alivie os doentes, mas não retira a moléstia de quem persiste no abuso.

Ele é o Amor Infinito e patrocina, pela solidariedade, a construção do manicômio em que se abriguem os alienados mentais, mas não suprime a loucura de quem se endividou no desequilíbrio.

Ele é a Compaixão infinita e estabelece, através do trabalho, os meios necessários à solução de todos os dissabores e obstáculos que se antepõem ao progresso e à tranquilidade do homem, mas não afasta a dificuldade de quem se entrega à preguiça.

É assim que Ele, na Terra de hoje, promove, pela Doutrina Espírita, todos os recursos precisos a que te dediques com êxito à sagrada missão da mediunidade, em teu próprio favor, mas, se desertas da obrigação, o resultado de semelhante atitude é problema contigo.

61
Sintonia mediúnica

Reunião pública de 22/8/60
Item 215

Para cooperar na mediunidade a serviço do bem, não deves esperar que os instrutores desencarnados te impulsionem as peças orgânicas, como se fosses um fardo movido a guindaste.

No reino da alma, o trabalhador, conquanto precise de inspiração, não pode considerar-se mola inerte.

Indiscutivelmente, o mecanismo espontâneo é nota destacada e importante à feição de novidade para a convicção; contudo, as edificações do sentimento e da ideia exigem a vigilância da consciência.

Por isso mesmo, em qualquer condição da força medianímica, podes colaborar com as Inteligências superiores, domiciliadas na Vida Maior, em favor do progresso humano.

* * *

Se tens dificuldade para compreender-nos a assertiva, repara os campos de ação da própria Terra, em que o serviço dinamiza a responsabilidade nos mais diversos graus.

No levantamento do prédio vulgar, o pedreiro comum, embora consciente de sua tarefa, trabalha com o espírito dirigente do mestre de obras; este trabalha com o espírito do arquiteto que planejou o edifício, e o arquiteto trabalha com o espírito do urbanista que institui o gabarito da via pública.

Na escola, o professor de determinada disciplina, embora consciente de sua função, age com o espírito do diretor imediato; o diretor age com o espírito do técnico de ensino, e o técnico de ensino age com o espírito das autoridades que presidem os serviços da educação.

Medita no assunto e perceberás que é muito difícil te movimentes sozinho nesse ou naquele rumo da vida.

Em toda a parte, pensas e fazes algo sob a influência de alguém.

E, entendendo que todos nos encontramos consideravelmente distantes do bem verdadeiro, não percas tempo perguntando se o bom pensamento te pertence à cabeça.

Recorda, acima de tudo, que o bem puro verte essencialmente de Deus e que os mensageiros de Deus tomar-te-ão sob a tutela do amor, se te dispões a servir.

62
Discernimento

Reunião pública de 26/8/60
Item 216

Encarecendo a prática do bem por base da cooperação com os instrutores desencarnados no campo mediúnico, não será lícito esquecer o imperativo da educação.

Não somente ajudar, mas também discernir.

Não apenas derramar sentimentos como quem faz do peito cofre aberto, atirando preciosidades a esmo, mas articular raciocínios, aprendendo que a cabeça não é simples ornamento do corpo.

Coração e cérebro sintonizados na criatura assemelham-se de algum modo ao pêndulo e ao mostrador no relógio. O coração, à maneira do pêndulo, marca as pulsações da vida; entretanto, o cérebro, simbolizando o mostrador, estabelece as indicações. No trabalho em que se conjugam, um não vai sem o outro.

* * *

Tornemos ao domínio da imagem para clareza do assunto.
Operário relapso não encontra chefe nobre.
Escrevente inculto não se laureia em provas de competência.
Enfermeiro bisonho complica a assistência médica.
Aluno vadio é problema para o professor.
Na mediunidade, quanto em qualquer outro gênero de serviço, é indispensável que o colaborador se interesse pela melhoria dos próprios conhecimentos, a fim de valorizar o amparo que o valoriza.

* * *

Tarefa mediúnica sustentada através do tempo não brota da personalidade. Exige burilamento, disciplina, renunciação e suor.
A educação confere discernimento. E o discernimento é a luz que nos ensina a fazer bem todo o bem que precisamos fazer.
É por isso que Jesus avisou no Evangelho: "Brilhe a vossa luz diante dos homens para que os homens vejam as vossas boas obras". É ainda pela mesma razão que o Espírito da Verdade recomendou a Allan Kardec gravasse na Codificação do Espiritismo a inolvidável advertência: "Espíritas, amai-vos! — eis o primeiro ensino. Instruí-vos! — eis o segundo".

63
Jesus e livre-arbítrio

Reunião pública de 29/8/60
Item 224, § 3º

Em matéria de respeito ao livre-arbítrio, reparemos a conduta do Cristo junto daqueles que lhe partilham a marcha.

Companheiro de João Batista, não lhe torce a vocação.

Em circunstância alguma, encarcera espiritualmente os discípulos em atitudes determinadas.

Ajuda sem pedir adesões.

Ensina sem formular exigências.

Escarnecido em Nazaré, onde fixara moradia, não procura evidenciar-se.

Renova Maria de Magdala sem constrangê-la.

Não ameaça Nicodemos, porque o doutor da lei não lhe compreenda de pronto a palavra.

Não exibe poderes divinatórios para impressionar o Sinédrio.

Permite que Pedro o renegue à vontade.

Deixa que Judas deserte como deseja.

Confere a Pilatos e Ântipas pleno direito de decisão.

Não impede que os amigos durmam no horto, enquanto ora em momento grave.

O cireneu que se destaca, a fim de auxiliá-lo no transporte da cruz, é trazido pelo povo, mas não rogado por Ele mesmo.

E, ainda depois da morte, volvendo ao convívio dos irmãos de ideal, não tem qualquer bravata de interventor.

Entende as dúvidas de Tomé.

E quando visita Saulo de Tarso, às portas de Damasco, aparece na condição de um amigo sem qualquer intuito de violência.

Onde surge, o Mestre define a luz e o amor em si mesmo, indicando, no próprio exemplo, o roteiro certo, mas sem coagir pessoa alguma nessa ou naquela resolução.

* * *

Quando quiseres verificar se os Espíritos comunicantes são bons e sábios, rememora o padrão de Jesus e perceberás que são realmente sábios e bons se te ajudam a realizar todo o bem com esquecimento de todo o mal, sem te afastarem da responsabilidade de escolheres o teu caminho e de seguires adiante com os próprios pés.

64
Livre-arbítrio e obsessão

Reunião pública de 2/9/60
Item 254, subitem 2

No tratamento da obsessão, frequentes vezes, entre os seareiros do bem, surgem debates em torno do livre-arbítrio.

Se a faculdade de escolher é atributo da alma, como influir no ânimo dos desencarnados menos felizes?

Temos aqui, no entanto, o princípio de causa e efeito, importando reconhecer que, se Jesus respeitou as resoluções de quantos lhe respiravam o ambiente, não arrebatou ninguém às consequências dos próprios atos.

* * *

Se caímos na criminalidade, somos Espíritos doentes, e qualquer doente guarda a sua independência até o ponto em que ameaça a integridade dos outros ou agrava a condição de si mesmo.

Para atender a isso, a sociedade humana relaciona vários recursos de contenção, destacando-se entre eles a segregação hospitalar e a anestesia involuntária que parecem atentados à consciência.

Entretanto, ninguém malsinará o médico que administre opiáceos ao enfermo desesperado, que lhe tente rasgar as próprias vísceras, ou que isole na câmara gradeada de um sanatório o louco suscetível de descer às últimas raias da inconsequência.

* * *

Diante da obsessão, não te mostres indiferente à sorte dos irmãos incursos nessa dificuldade.

A pretexto de resguardar o livre-arbítrio, não deixes o companheiro desencarnado e o companheiro da experiência física sem o concurso do esclarecimento que lhes serve ao caminho como inevitável medicação.

Dinamiza o conhecimento quanto julgues preciso em cada processo de reajuste, mas explica aos irmãos em prova a trilha mais fácil para a libertação deles mesmos.

Ainda assim, porque estejas a serviço da verdade, não te faças verdugo.

Aspereza é veneno sutil.

Irritação retorna qualquer serviço à estaca zero.

Ninguém realmente sabe ensinar se não sabe repetir a lição.

Socorre obsessor e obsidiado, incutindo-lhes a verdade dosada em amor; contudo, recorda que o veículo de semelhante remédio é paciência e paciência.

65
Obrigação primeiramente

Reunião pública de 5/9/60
Item 304

Faze da mediunidade o instrumento com que possas desferir, entre as criaturas irmãs, o teu hino de amor.

Entretanto, não lhe situes os acordes em leilão.

Quanto o Sol, que não negocia com a própria luz, o Espírito não mercadeja com os próprios sentimentos.

Se a vaidade te exagera o valor, pensa um pouco e reconhecerás que a vida, junto de ti, pode suscitar a formação de valores novos que te lancem todas as possibilidades em plena sombra. E, quando a ambição busque elevar-te à galeria de ouro, reflete na agonia mental de todos aqueles que descem da galeria de ouro para a névoa da morte.

Mediunidade é talento divino nas tuas mãos, e a Divina Bondade nunca se vende.

Se pudéssemos definir Deus, seria lícito repetir que Deus é amor e o amor é trabalho do bem por todas as direções.

O trabalho, desse modo, é o alicerce da existência produtiva, assim como a raiz é o fundamento da árvore.

Se alguém disser que é necessário que abandones as tuas tarefas a fim de que haja virtude no caminho do próximo, enredando-te ao ruído ou à festividade que a tua presença consiga criar onde estejas, não te esqueças que o Cristo pagou, em acerba renunciação, a própria fidelidade ao Supremo Senhor na prestação de serviço aos homens.

Pregação sem exemplo é cheque sem fundos.

Angaria o teu sustento com a disciplina da alma e o suor do rosto e cede ao intercâmbio espiritual o tempo que lhe possas consagrar por oferta de ti mesmo.

Não te rendas a ilusões, nem te creias maior.

Além do manancial, corre a fonte; além da fonte, vem o córrego; além do córrego, desponta o riacho; além do riacho, aparece o rio e, além do rio, surge o mar.

Primeiro, a obrigação que nos purifique.

E, depois da obrigação, entrega à mediunidade aquilo que lhe possas doar espontaneamente, sem qualquer tisna de interesse inferior, como sendo a tua cota de esforço puro na obra do bem geral.

Não importa que seja pouco.

O maior edifício começa tijolo a tijolo.

Por mais negra a escuridão, fina réstia de luz rompe a força das trevas.

66
Obsessão e Evangelho

Reunião pública de 9/9/60
Item 244

A quem diga que o Espiritismo cria obsessões na atualidade do mundo, respondamos com os próprios evangelhos.

* * *

Nos versículos 33 a 35, do capítulo 4, no *Evangelho de Lucas*, assinalamos o homem que se achava no santuário, possuído por um Espírito infeliz, a gritar para Jesus, tão logo lhe marcou a presença: "Que temos nós contigo?" E o Mestre, após repreendê-lo, conseguiu retirá-lo, restaurando o equilíbrio do companheiro que lhe sofria o assédio.

Temos aí a obsessão direta.

* * *

Nos versículos 2 a 13, do capítulo 5, no *Evangelho de Marcos*, encontramos o auxílio seguro prestado pelo Cristo ao pobre gadareno, tão intimamente manobrado por entidades cruéis e que mais se assemelhava a um animal feroz, refugiado nos sepulcros.

Temos aí a obsessão, seguida de possessão e vampirismo.

* * *

Nos versículos 32 e 33, do capítulo 9, no *Evangelho de Mateus*, lemos a notícia de que o povo trouxe ao Divino Benfeitor um homem mudo, sob o controle de um Espírito em profunda perturbação, e, afastado o hóspede estranho pela bondade do Senhor, o enfermo foi imediatamente reconduzido à fala.

Temos aí a obsessão complexa, atingindo alma e corpo.

* * *

No versículo 2, do capítulo 13, no *Evangelho de João*, anotamos a palavra positiva do apóstolo, asseverando que um Espírito perverso havia colocado no sentimento de Judas a ideia de negação do apostolado.

Temos aí a obsessão indireta em que a vítima padece influência aviltante sem perder a própria responsabilidade.

* * *

Nos versículos 5 a 7, do capítulo 8, nos *Atos dos apóstolos*, informamo-nos de que Filipe, transmitindo a mensagem do Cristo, entre os samaritanos, conseguiu que muitos coxos e paralíticos se curassem de pronto com o simples afastamento dos Espíritos inferiores que os molestavam.

Temos aí a obsessão coletiva, gerando moléstias fantasmas.

* * *

E, de ponta a ponta, vemos que o Novo Testamento trata o problema da obsessão com o mesmo interesse humanitário da Doutrina Espírita.

Não nos detenhamos diante dos críticos contumazes.

Estendamos o serviço de socorro aos processos obsessivos de qualquer procedência, porque os princípios de Allan Kardec revivem os ensinamentos de Jesus na antiga batalha da luz contra a sombra e do bem contra o mal.

67
Mediunidade e doentes

Reunião pública de 12/9/60
Item 176, subitens 1 a 3

No que se refere aos doentes, os cientistas ateus apenas enxergam o corpo na alma, e os religiosos extremistas apenas enxergam a alma no corpo; as inteligências sensatas, porém, observam uma e outro, conjugando bondade e medicação nos processos de cura.

Os cientistas ateus, ao modo de técnicos puros, quase sempre entregam exclusivamente ao laboratório toda a orientação terapêutica, interpretando a moléstia como sendo mero caso orgânico de curso previsto, qual se o corpo fosse aparelho frio, de comportamento pré-calculado, esquecendo-se de que os corpúsculos brancos do sangue fabricam antitoxinas sem haverem frequentado qualquer aula de Química.

Os religiosos extremistas, à feição de místicos intransigentes, quase sempre entregam exclusivamente à oração todo o trabalho socorrista, interpretando a moléstia como sendo simples ato expiatório da criatura, qual se a alma encarnada fosse entidade onipotente na própria defensiva, olvidando que os vírus não interrompem o assalto infeccioso diante dessa ou daquela preleção de moral.

As inteligências sensatas, no entanto, percebem que o corpo se move à custa da alma, sabendo, porém, que a alma, no plano físico, precisa do corpo para manifestar-se, embora reconheçam que toda reação substancial procede do interior para o exterior, razão pela qual, em todos os tratamentos, como ação supletiva, será lícito recorrer às forças inesgotáveis do Espírito.

* * *

Na mediunidade curativa, portanto, suprime a enfermidade, quanto possível, com o amparo da Medicina criteriosa, mas unge-te de amor para socorrer o doente.

A solidariedade ergue o índice da confiança, e a confiança mobiliza instintivamente os recursos da Natureza.

Pronuncia a prece que reconforte e estende o passe magnético que restaure como se fossem pedaços de teu próprio coração em forma de auxílio.

Sobretudo, não envenenes o ânimo de quem sofre.

Ainda mesmo diante dos criminosos e viciados que a doença arruína, levanta a voz e alonga os braços sem qualquer nota de azedia ou censura, recordando que possivelmente estaríamos nós no lugar deles se tivéssemos padecido as provas e tentações nas quais sucumbiram, agoniados.

Seja quem for o doente do qual te aproximes, compadece-te quantas vezes se fizerem necessárias, entendendo que é preciso aprender a ajudar o necessitado de maneira que o necessitado aprenda a ajudar a si mesmo.

Somente assim descobrirás, tanto em ti quanto nos outros, o surpreendente poder curativo que dimana, ilimitado e constante, do amor de Deus.

68
Sabes

Reunião pública de 16/9/60
Item 226, perg. 3

Tanto quanto os médiuns, nós todos.

Todos nós, na assimilação da ideia espírita, recebemos uma luz alimentada pela essência do Evangelho.

E a missão da luz, acima de tudo, é revelar a fim de que possamos compreender.

Todos guardamos, assim, a faculdade superior de entender para auxiliar.

* * *

Nunca te afirmes, desse modo, sem orientação.

Sabes que te encontras na Terra, não somente resgatando o passado, mas também construindo o futuro.

Sabes que os parentes-enigmas, em verdade, são credores que deixaste a distância, reincorporados agora na faixa de teus dias, a fim de que solvas os compromissos da tua alma e aprendas quanto dói complicar os destinos alheios.

Sabes que os ofensores, transfigurados em verdugos, na maioria das vezes são grandes obsidiados por entidades sombrias, colocados diante de ti pelo mundo, à maneira de testes longos, em que possas demonstrar praticamente a virtude que ensinas.

Sabes que as dificuldades, semelhando espinheiros magnéticos no campo de trabalho, são recursos que a vida te oferece, de modo a que não falhes na conquista da experiência.

Sabes que a dor, parecendo brasa invisível no pensamento, guarda a função de alertar-te contra quedas maiores nos resvaladouros da ignorância.

* * *

Unge-te, pois, de caridade e de paciência se aspiras a executar o que deves.

O preço da vitória chama-se luta.

Ideia espírita é lâmpada acesa para que todos vejamos claro, e a existência na Terra é caminho para a Esfera Superior.

Não te lastimes se a subida aborrece e cansa, pela cruz que carregas.

Ora pelos que te perseguem e abençoa os que te injuriam.

Quantos julgavam haver aniquilado o Cristo, no alto de um monte, apenas conseguiram transformá-lo em baliza de luz.

69
Atualidade espírita

Reunião pública de 19/9/60
Cap. XXXI – Dissertação I

Espíritas!
O mundo de agora é o campo de luta a que fostes conclamados para servir.
Todas as rotas oferecem contradições terríveis.
A cada trecho, surpreendemos os que falam em Cristo, negando-lhe testemunho.
Ouvimos os que pregam desinteresse, agarrando-se à posse; os que se referem à união, disseminando a discórdia; os que exaltam a humildade, embriagando-se de orgulho, e os que receitam sacrifício para uso dos outros, sem se animarem a tocar com um dedo os fardos de trabalho que os semelhantes carregam!...
Ontem, contudo, noutras reencarnações, éramos nós igualmente assim...

Recorríamos à cruz do Senhor, talhando cruzes para os braços do próximo; exalçávamos o desprendimento, entronizando o egoísmo; louvávamos a virtude, endossando o vício, e clamávamos por fraternidade, estimulando a perseguição a quem não pensasse por nossa cabeça.

* * *

Hoje, no entanto, a Doutrina Espírita restaura para nós o Evangelho em versão viva e simples.
Não mais o Cristo abençoando a carniçaria da guerra.
Não mais o Cristo monumentalizado em prata e ouro.
Não mais a escravidão religiosa, imaginariamente, do Cristo.
Não mais imposições e convenções supostas do Cristo.
Agora, como devia ter sido sempre, encontramos no Mestre Divino o companheiro da Humanidade, ensinando-nos a crescer no bem para a vida vitoriosa.
Não nos baste, pois, simplesmente crer!...
Em toda parte, é necessário que sejamos o exemplo do ensino que pregamos, porque, se o Evangelho é a revelação pela qual o Cristo nos entregou mais amplo conhecimento de Deus, a Doutrina Espírita é a revelação pela qual o mundo espera mais amplo conhecimento do Cristo, em nós e por nós.

70
Mediunidade e dúvida

Reunião pública de 23/9/60
Item 214

Quando a sombra da dúvida se interponha entre o campo de ação e a tua faculdade medianímica, contempla o necessitado que te espera o serviço.

Se fosses o companheiro sob o guante da enfermidade, qual se lâminas de fogo lhe cortassem as vísceras, agradecerias as mãos que se erguessem, generosas, no passe magnético em teu benefício.

Se fosses o irmão que exibe a epiderme em largas feridas, como se envergasse roupa nodulada de chagas, mostrarias imensa gratidão aos dedos que te ofertassem o fluido restaurador.

Se fosses o alienado mental, de que tanta gente se afasta, tomada de inquietação, decerto acolherias por bênção do Alto a exortação que te ajudasse a superar o desequilíbrio.

Se fosses a pessoa desesperada nas últimas fronteiras da resistência, à beira do suicídio ou do crime, revelarias reconhecimento profundo a quem te desse a frase de apaziguamento, sustando-te a queda.

Se fosses pai ou mãe, esposo ou esposa, filho ou amigo da criatura presa nas malhas da obsessão, agradecerias, feliz, a palavra renovadora de quem se expressasse na tarefa do auxílio.

Se fosses o doente, na ansiedade comatosa da despedida, abraçarias por recurso divino a prece amiga de quem te doasse serenidade e esperança para a viagem da morte.

Se trouxesses a dor contigo, não vacilarias em acreditar que o próximo tem a obrigação de estender-te consolo e enfermagem, compreensão e remédio.

O escrúpulo é naturalmente compreensível toda vez que o mal nos espreita os movimentos; contudo, ante o socorro correto à necessidade dos outros, o escrúpulo, quase sempre, é válvula à exaltação da preguiça.

Quem despende o mais mínimo esforço no bem, recebe todo apoio do Bem Eterno, assim como a tomada humilde e fiel recolhe da usina toda a força de que se mostre capaz.

Se duvidas do nosso dever de auxiliar os semelhantes, através de da mediunidade, observa a obra imensa do Evangelho e pensa no que seria de nós se Jesus houvesse duvidado de Deus.

71
Inspiração

Reunião pública de 26/9/60
Item 218

Em qualquer consideração sobre a mediunidade, não te esquives à inspiração, campo aberto a todos nós e no qual todos podemos construir para o bem, assimilando o pensamento da Esfera Superior.
Não vale fenômeno sem proveito.

* * *

Um homem que enxergasse, num vale de cegos, sem diligenciar qualquer auxílio aos irmãos privados da luz, não passaria de uma lente importante entregue a si mesma.
Aquele que conversasse numa província de mudos, fugindo de prestar-lhes concurso na reconquista da fala, assemelhar-se-ia tão somente a uma discoteca ambulante.

Quem se locomovesse à vontade numa terra de paralíticos, negando-lhes apoio para que readquirissem a herança do movimento, seria para eles uma ave rara e anormal, agindo em forma humana.

A pessoa que ouvisse, numa ilha de surdos, desertando da cooperação fraterna para que reaprendessem a escutar, seria apenas uma registradora de sons.

A criatura que ensinasse lógica e conduta numa colônia de alienados mentais e não procurasse um meio, ainda que simples, de amparar-lhes o retorno à razão estaria, entre eles, como arquivo de máximas inassimiláveis.

* * *

Não te asseveres incapaz de servir, porque te falte mais ampla incursão no inabitual.

Recurso psíquico, sem função no bem, é igual à inteligência isolada ou ao dinheiro morto, excelentes aglutinantes da vaidade e da sovinice.

De toda ocorrência, observa o préstimo.

E certos de que o pensamento é onda de força viva que nos coloca em sintonia com os múltiplos reinos do Universo, busquemos a inspiração do bem para o trabalho do bem que nos compete, conscientes de que as maravilhas mediúnicas, sem atividade no bem de todos, podem ser admiráveis motivos a preciosas conversações entre os esbanjadores da palavra, mas, no fundo, são sempre o exclusivismo de alguém, sem utilidade para ninguém.

72
Obsessão e cura

Reunião pública de 30/9/60
Item 254, perg. 5

Alguém, certa feita, indagou de grande filósofo como classificaria o sábio e o ignorante, e o filósofo respondeu, afirmando que considerava um e outro como sendo o médico e o doente.

No entanto, acrescentamos nós: entre o médico e o doente, existe o remédio.

Se o enfermo guarda a receita no bolso e foge à instrução indicada, não adianta o esforço do clínico ou do cirurgião que despendem estudo e tempo para servi-lo.

* * *

Que a obsessão é moléstia da alma, não há negar.

A criatura desvalida de conhecimento superior rende-se, inerme, à influência aviltante, como a planta sem defesa se deixa invadir pela praga destruidora, e surgem os dolorosos enigmas orgânicos que, muitas vezes, culminam com a morte.

Dispomos, contudo, na Doutrina Espírita, à luz dos ensinamentos do Cristo, de verdadeira ciência curativa da alma, com recursos próprios à solução de cada processo morboso da mente, removendo o obsessor do obsidiado, como o agente químico ou a intervenção operatória suprimem a enfermidade no enfermo, desde que os interessados se submetam aos impositivos do tratamento.

* * *

Se conduzes o problema da obsessão com lucidez bastante para compreender as próprias necessidades, não desconheces que a renovação da companhia espiritual inferior, a que te ajustas, depende de tua própria renovação.

Ouvirás preleções nobres, situando-te os rumos.

Recolherás, daqui e dali, conselhos justos e precisos.

Encontrarás, em suma, nos princípios espíritas, apontamento certo e exata orientação.

Entretanto, como no caso da receita formulada por médico abnegado e culto, em teu favor, a lição do Evangelho consola e esclarece, encoraja e honra aqueles que a recebem, mas, se não for usada, não adianta.

73
Aliança espírita

Reunião pública de 7/10/60
Item 334

Aliando as sociedades espíritas para salvaguardar a pureza e a simplicidade dos nossos princípios, é forçoso considerar o imperativo da aproximação no campo de nós mesmos.

Decerto, ninguém pode exigir que o próximo pense com cabeça diversa da que possui.

Cada viajante vê a paisagem da posição em que se coloca, e toda posição renova as perspectivas.

União, desse modo, para nós, não significa imposição do recurso interpretativo, mas, acima de tudo, entendimento mútuo de nossas necessidades, com o serviço da cooperação atuante, a partir do respeito que devemos uns aos outros.

* * *

Iniciemos, assim, a nossa edificação de concórdia aposentando a lâmina da crítica.

Zurzir os irmãos de luta é retalhar-lhes a própria alma, exaurindo-lhes as forças.

Se o companheiro fala para o bem, ainda que sejam algumas frases por dia, estende-lhe concurso espontâneo para que enriqueça o próprio verbo; se escreve para construir, ainda que seja uma página por ano, encoraja-lhe o esforço nobre; se consagra energias no socorro aos doentes, ainda que seja vez por outra, incentiva-lhe o trabalho; se consegue dar apenas migalha no culto da assistência aos que sofrem, auxilia-lhe o passo começante nas boas obras; se vive afastado das próprias obrigações, ora por ele, em vez de açoitá-lo, e, se está em erro, ampara-lhe o esclarecimento, através da colaboração digna, lembrando que a azedia agrava a distância.

Educarás ajudando e unirás compreendendo.

Jesus não nos chamou para exercer a função de palmatórias na instituição universal do Evangelho, e, sim, foi categórico ao afirmar: "os meus discípulos serão conhecidos por muito se amarem".

E Allan Kardec, explanando sobre a conveniência da multiplicação dos grupos espíritas, asseverou claramente, no item 334, do capítulo XXIX de *O livro dos médiuns*, que "esses grupos, correspondendo-se entre si, visitando-se, permutando observações, podem, formar desde já, o núcleo da grande família espírita ue um dia consorciará todas as opiniões e reunirá os homens por um único sentimento: o da fraternidade, trazendo o cunho da caridade cristã".

74
Eles sabem

Reunião pública de 10/10/60
Item 279

Quando à frente do companheiro que sofre, determina a verdadeira superioridade moral, te imagines no lugar dele, a fim de que a tua palavra lhe sirva de refrigério e lição.

Excetuando as criaturas deliberadamente enfurnadas na ignorância ou bestializadas no crime, que reclamam a compaixão da Providência Divina, ninguém se aprisiona em armadilhas do erro, agindo de própria vontade.

Aqui, alguém abraçou a delinquência, admitindo que afeto seja capricho.

Ali, há quem padeça escárnio na praça pública, por haver acreditado cegamente naqueles que lhe zombaram da confiança.

* * *

Perante os que lutam e choram nas consequências das próprias quedas, sejam encarnados ou desencarnados, arma-te de humildade e entendimento se aspiras a auxiliar.

Convence-te, sobretudo, de que o necessitado é o primeiro a conhecer-se.

O doente sabe em que ponto do corpo se lhe encrava a enfermidade e não aguarda acusações porque se desgoverna nos momentos de crise.

Pede socorro e medicação.

O mutilado sabe que peça lhe falta no carro orgânico e não aguarda acusações porque exibe forma imperfeita.

Pede auxílio e recurso.

O faminto sabe que tem o estômago torturado e não aguarda acusações porque se aflige em descontrole.

Pede um prato de pão.

O sedento sabe que carreia consigo o tormento da secura e não aguarda acusações pelos esgares que mostra.

Pede um copo de água fria.

Assim, também, os que tombaram na culpa conhecem, por si mesmos, o labirinto de sombra em que jazem situados e não aguardam acusações maiores que as da própria consciência, em se vendo dementados e cegos, humilhados e infelizes.

* * *

Diante, pois, do irmão que caiu em remorso e rebeldia, azedume ou desespero, não lhe batas nas chagas.

Se queres efetivamente reajustá-lo, deixa que o teu amor apareça e lhe tanja as cordas do coração.

75
Expliquemos

Reunião pública de 14/10/60
Item 301, perg. 4

Não desconheces que a Doutrina Espírita é a revivescência do Cristianismo em sua pureza.

Nos primeiros tempos do Evangelho, os apóstolos da ideia edificante eram os médiuns da Boa-Nova, espalhando-lhe os ensinos.

Hoje, o Espiritismo é a palavra que os complementa.

* * *

Disse Jesus: "Necessário vos é nascer de novo".

Apontemos que o Mestre não se refere apenas ao renascimento simbólico pela atitude, valioso, mas insuficiente, e sim à reencarnação em que o Espírito se aprimora de corpo em corpo.

* * *

Disse Jesus: "Enquanto não vos tornardes quais crianças, não entrareis no Reino de Deus".

Esclareçamos que o Mestre não aprova a inexperiência, e sim nos convida à simplicidade, a fim de que possamos viver sem tabus e sem artifícios.

* * *

Disse Jesus: "Considerai os lírios do campo que não fiam nem tecem e, entretanto, Salomão, com toda a sua glória, jamais conseguiu vestir-se como um deles".

Registremos que o Mestre não apoia a preguiça, em nome da fé, e, sim, dá ênfase justa ao dever cumprido, no qual ninguém precisa assaltar os recursos dos outros a pretexto de garantir a própria felicidade, porquanto o lírio do campo, onde medre, atende à função que lhe cabe na economia da natureza.

* * *

Disse Jesus: "Quem se humilhar será exaltado".

Anotemos que o Mestre não encoraja os que se fazem de tolos para senhorear o melhor quinhão na mesa do oportunismo, e, sim, estimula os que se sustentam leais à reta consciência, prosseguindo, sem perturbar os próprios irmãos, no labor que a Providência Divina lhes concede realizar.

* * *

Disse Jesus: "Amai os vossos inimigos, fazei bem aos que vos fazem mal e orai pelos que vos perseguem e caluniam".

Assinalemos que o Mestre não espera que se transformem os discípulos em legião de louvaminheiros dos delinquentes importantes da Terra, e sim nos aconselha a respeitar os adversários pela sinceridade que demonstrem, dando-lhes campo de ação para que façam, melhor que nós, a tarefa em que nos criticam, continuando, de nossa parte, na execução dos compromissos que nos competem, cultivando a paciência praticada por ele mesmo, quando ajudou aos próprios perseguidores, através do exemplo silencioso, sem aplaudir-lhes a crueldade.

* * *

Disse Jesus: "Mas aquele Consolador, o Espírito Santo que meu Pai vos enviará em meu nome, vos esclarecerá em todas as coisas e vos fará lembrar tudo quanto vos tenho dito".
Mostremos que o Mestre não se reporta a acontecimento cósmico em desacordo com as leis naturais, e sim à Doutrina Espírita, pela qual os Espíritos santificados na evolução voltam ao mundo, aclarando as sendas da vida e reafirmando o que Ele próprio nos ensinou.

* * *

Não faças de tua convicção incenso à idolatria.
Recorda que, em Doutrina Espírita, é preciso estudar e aprender, entender e explicar.

76
Ímã

Reunião pública de 17/10/60
Item 232

Perto, muito perto de ti, estão todos aqueles que já te precederam na viagem da morte.

Aqueles que subiram para o alto dos montes se referem à luz; no entanto, os que desceram para as furnas do vale agitam-se na sombra.

Quantos se sublimaram, no suor do serviço, mostram que vale a pena lutar e padecer para que o bem se faça e apelam para o bem, porque Deus é amor.

Contudo, os que se agarram às paixões inferiores mergulham-se nas trevas como seres do lodo e, em largo desespero, convidam para o mal, a que se prendem, fracos, em tremenda ilusão.

Todos os que marcharam no extremo auxílio aos outros ensinam-te, pacientes, a converter espinhos em roseirais eternos, mas quantos desprezaram as criaturas irmãs, no apego desvairado à posse de si mesmos, induzem-te a fazer de rosas passageiras duros espinheirais.

Não afirmes: "Sou pedra".

Nem digas: "Não percebo".

No lar do pensamento, estamos todos juntos.

Cada Espírito escolhe a força em que se inspira.

O raciocínio manda.

O sentimento guia.

Trazes, assim, contigo, o leme do destino escondido na mente, ocultando no peito o impulso que o dirige, porque tudo prospera aos golpes do desejo, e o ímã do desejo chama-se coração.

77
Médiuns transviados

Reunião pública de 21/10/60
Item 220, perg. 3

No que se refere aos médiuns abandonados a si próprios, imaginemos vontade nos instrumentos de que se vale o homem na sustentação do progresso.

* * *

A caneta nobre que se negasse a escrever com medo de errar terminaria, decerto, numa carroça de lixo, preterida por algum lápis humilde que prestasse concurso de boa vontade.

O automóvel distinto que desertasse do trabalho com a desculpa de preservar-se contra a lama e a poeira perderia o devotamento do motorista e seria desarticulado por mãos estranhas.

O piano que intentasse desfigurar acordes e melodias afastaria a atenção do musicista, acabando disfarçado em prateleira obscura.

O martelo que se impusesse ao operário, revelando o propósito de menosprezar-lhe a cabeça, seria naturalmente largado à própria sorte, para cair talvez sob o domínio de algum criminoso vulgar.

* * *

Mediunidade é talento divino para edificar o consolo e a instrução entre os homens.

Os Espíritos benevolentes e sábios convidam as criaturas para colaborarem com eles na obra de esclarecimento e elevação da Humanidade.

Os medianeiros que aderem renascem no mundo com os característicos da instrumentação ideal.

Algumas vezes, no entanto, em plenitude das forças físicas, os tarefeiros do intercâmbio, enganados por transitórias facilidades materiais, recusam-se ao compromisso assumido.

Instados pelos Instrutores da Vida maior, durante muito tempo, para que se desincumbam dos seus mandatos, afirmam-se com receio da humilhação e da crítica, ou exploram situações, sequiosos de luxo e poder. Os benfeitores espirituais, por fim, renunciam à insistência construtiva, deixando-os entregues a si mesmos.

Então, semelhantes criaturas, que renasceram no corpo terrestre para a função da mediunidade, continuam médiuns, mas só a Lei de Deus sabe como.

78
Fenômenos

Reunião pública de 24/10/60
Item 94, perg. 7

Ateus diversos pedem fenômenos que os constranjam a crer na evidência do Mundo Espiritual; no entanto, é forçoso convir que, se fenômenos ajudam convicções, não alteram disposições.

Nesse sentido, é justo assinalar que o Espírito encarnado sobre a Terra reside transitoriamente num corpo em cuja intimidade se processam transcendentes fenômenos anímicos, que ele, de modo geral, não procura auscultar ou compreender.

Para sustentar-se, tem o coração por bomba vigorosa e infatigável, pulsando cerca de setenta a oitenta vezes por minuto, mas levanta-se e age à custa desse apoio sem nada perguntar a si mesmo quanto a isso.

Para respirar, usa os pulmões, semelhantes a filtros surpreendentes, com trabalho ininterrupto na oxigenação incessante do sangue; contudo, repara as próprias forças, a cada instante, sem ponderar nos prodígios da hematose.

Para pensar, conta com o cérebro, precioso maquinismo articulado por bilhões de células a se definirem por funções específicas; entretanto, efetua as mais complexas associações de ideia sem qualquer preocupação pelos mecanismos da mente.

Para ver, dispõe do olho, câmara fotográfica em cuja retina trabalham milhões de unidades celulares com serviço determinado para as horas de luz intensa e para as horas de sombra; no entanto, enxerga espontaneamente sem meditar nos poderes sublimes da visão.

Para escutar, tem o ouvido, notável caixa acústica a estruturar-se em compartimentos diversos destinados ao registro dos sons, mas ouve sem a menor admiração pelo portento auditivo.

Para exprimir-se, traz consigo a laringe por verdadeiro instrumento musical, destinado à produção fisiológica da voz; contudo, expressa-se nas mais diversas línguas sem refletir nas maravilhas da fala.

Para onde se volte, a criatura humana encontra fenômenos e mais fenômenos a lhe requisitarem as faculdades de interpretação; no entanto, se ainda não procura apreender a espiritualidade que carreia por dentro de si mesma, como aceitará a espiritualidade que a desafia por fora?

Fujamos ao propósito sistemático de provocar fenômenos, com o objetivo de impor ao homem a certeza da sua sobrevivência além da morte, porquanto de fenômenos múltiplos o caminho que ele percorre está cheio.

Divulgando o estudo nobre e alicerçando as nossas palavras no exemplo, ajudemo-lo, tanto quanto possível, a simplesmente raciocinar.

79
Intuição

Reunião pública de 28/10/60
Item 180

Sempre que te disponhas à tarefa de servir, na mediunidade, és alguém interpretando alguém, junto de alguém.

Vaso em que se transporte a mensagem do amor infinito para os caminhantes da Terra, deixa que a compaixão seja em tua alma o fixador do Divino Auxílio.

* * *

Contempla os sofredores que te procuram, por mais desavorados, na categoria de irmãos que trazem na própria dor o sinal da altura a que não puderam chegar.

Diante de todos aqueles que o mundo reprova, pensa no supremo esforço que fizeram para serem bons, sem que pudessem atingir o ideal a que se propunham.

À frente dos companheiros incursos em faltas graves, medita na extrema luta que sustentaram consigo mesmos, antes de se arrojarem à delinquência e, perante os que se mergulham na corrente do vício, imagina-te à beira das armadilhas em que caíram sem perceber.

Encontrando a mulher que te parece desprezível, reflete nas longas noites de aflição que atravessou, padecendo, na resistência moral para não cair no infortúnio, e, surpreendendo o celerado que se te afigura cruel, mentaliza o seio maternal que o acalentou, entre preces e lágrimas, supondo amamentar a boca de um anjo.

Se os problemas do próximo surgem obscuros e inconfessáveis, pede à simpatia te ajude a resolvê-los, porque, em verdade, não lhes conheces o início nem sabes que forças da sombra se ocultam por trás dos que tombam, chagados de sofrimento.

* * *

Seja qual for o necessitado, compadece-te; e, se esse mesmo necessitado te fere e injuria, compadece-te ainda mais.

Não julgues ninguém tão excessivamente culpado que não careça de apoio e de entendimento, recordando que a bondade de Deus, cada manhã, retira a alvorada vitoriosa das trevas da meia-noite.

Intuição é pensamento a pensamento.

E só o pensamento da compaixão é capaz de traduzir, com fidelidade, o pensamento da Luz.

80
Em louvor da esperança

Reunião pública de 31/10/60
Item 289, perg. 13 e 14

Embora assinales o companheiro nas últimas raias da resistência, não lhe profetizes a queda.

É possível que, abraçando a ilusão, tenha ele provocado as imensas dificuldades que lhe supliciam a alma e, rendendo-se, inerme, às sugestões do vício, é provável haja apressado a decadência orgânica que o obriga a estugar o passo na direção do sepulcro.

Entretanto, o Senhor te permite sondar-lhe as chagas e anotar-lhe as fraquezas, não para que lhe arrojes brasa às feridas, nem para que lhe esmagues a armadura dos ossos.

Problema pede solução.

Fogueira não espera petróleo para extinguir-se.

* * *

Em tudo o que se refira a desalento e terror, recorda o carinho com que te desvelas à cabeceira de um filho desajustado.

Agradeces, de coração enternecido, aos que lhe ofertem a gota de remédio ou a leve migalha de reconforto.

Se isso acontece entre os limites de nossa ternura estreita, que não fará por nós o Infinito Amor, imensuravelmente acima de toda a compreensão humana?

Mesmo que amigos desencarnados te induzam a desencorajar os irmãos doentes ou transviados, não profiras sentença que desanime; porquanto, cada dia, a Natureza, em nome do Criador, renova a esperança de todas as criaturas.

Nuvens anunciam fontes cadentes para a secura do solo.

Árvores prometem frutos à fome do viajor.

Escolas acenam à educação.

Hospitais referem-se à cura.

* * *

Não te faças portador das mensagens de pessimismo.

A Terra já possui legiões enormes para a força do mal.

Sê a palavra que reconforte e auxilie.

Ainda que te encontres diante daqueles que se mostram nas vascas da agonia, fala em esperança e não lhes vaticines o mergulho na morte, porque Deus é também misericórdia, e a misericórdia de Deus poderá desmentir-te.

Lázaro, enfaixado no túmulo, era alguém com atestado de óbito indiscutível, mas Jesus chamou-o a mais amplo aproveitamento das horas, e Lázaro reviveu.

81
Ondas

Reunião pública de 4/11/60
Item 182

Ondas mentais enxameiam por toda a parte.

Não é necessário que te definas em tarefas especiais, nos círculos mediúnicos, para transmitires o pensamento de entidades outras.

Particularmente, quando falas, exprimes as inclinações e opiniões de inteligências diversas.

Sentes, pensas, ouves, lês e observas e, em qualquer desses estados de alma, assimilas influências alheias.

Medita, assim, na função da palavra que despedes.

* * *

Cada peça verbal pode ser comparada a certo veículo de essências mentais determinadas.

A preleção edificante é lâmpada acesa.
A conversa maledicente é prato de lama.
O reparo confortador é bálsamo de coragem.
A indicação caluniosa é poção corrosiva.
A nota de fraternidade é injeção de bom ânimo.
O gracejo inoportuno é dissolvente da responsabilidade.
O registro da compreensão é recurso calmante.
A anedota deprimente é coagulante do vício.
A frase amiga é copo de água pura.
O apontamento pessimista é drágea de veneno.

* * *

Cada vez que dizes algo, refletes, a teu modo, alguém ou alguma coisa.

Ideias inúmeras de Espíritos encarnados e desencarnados podem fazer ninho em tua boca.

A língua, de certa forma, é um alto-falante.

Repara a onda que sintonizas.

82
Sobrevivência

Reunião pública de 11/11/60
Item 4

A todos os que, nas linhas do Cristianismo contemporâneo, hostilizem a ideia da sobrevivência diante de mediunidades e médiuns, respondamos com o testamento do próprio Cristo.

* * *

À face desse impositivo, respiguemos,[3] do texto da Boa-Nova, o seguinte trecho de importante carta elucidativa:

"Notifico-vos também, irmãos, o Evangelho que já vos tenho anunciado, que também já recebestes e no qual vos mantendes, se não guardais a crença morta.

---

[3] N.E.: Por evidente equívoco, esta palavra constou como "respinguemos" na primeira edição, cujo significado, nos dicionários, não corresponde ao que o autor espiritual quis dar-lhe: "compilar, corrigir, recolher" o que foi dito por outrem, no caso, a Boa-Nova.

Entreguei-vos, primeiro, a certeza que igualmente recebi, a certeza de que Jesus morreu por amor a nós todos, de que foi sepultado e de que ressuscitou, ao terceiro dia, conforme as Escrituras.

Logo após, foi visto por Cefas, pelos doze companheiros que lhe eram familiares e, em seguida, por mais de quinhentos irmãos, dos quais a maior parte ainda permanece, junto de nós, neste mundo.

Depois disso, foi visto por Tiago e, outra vez, pelos amigos mais íntimos e, ultimamente, apareceu também a mim, num fenômeno inesperado.

Isso aconteceu, embora seja, de minha parte, o menor dos apóstolos, não me reconhecendo digno desse nome, mas, pela bênção de Deus, sou o que sou, cabendo-me trabalhar intensivamente para que essa bênção do Senhor para comigo não seja frustrada.

Desse modo, seja por mim ou pelos outros, assim é a verdade que ensinamos e haveis crido.

Ora, se se prega que o Cristo ressuscitou dos mortos, por que motivo há, entre vós, quem diga que os mortos não ressuscitam?

Se não há ressurreição dos mortos, Cristo igualmente não ressuscitou, e, se o Cristo não ressuscitou, vã é a nossa pregação e vã é a vossa fé."

* * *

Semelhantes considerações parecem nascidas do punho de valoroso comentarista espírita da atualidade; entretanto, foram escritas há quase dois milênios, por Paulo de Tarso, e constam nos versículos 1 a 14, do capítulo 15, da primeira mensagem do grande amigo da gentilidade aos coríntios, aqui transcritas por nós, na linguagem de nossos dias.

É fácil observar, assim, que todos os cristãos, dessa ou daquela escola de fé, que procurem desacreditar mediunidades e médiuns, mais não fazem que tentar destruir as bases espirituais em que se levantam, golpeando e defraudando a si mesmos.

83
Obreiros e instrumentos

Reunião pública de 14/11/60
Item 226, perg. 12

Afirmas, a cada passo, plena confiança nos instrutores espirituais que a todos nos assistem.

Neles reconheces os timoneiros da evolução.

Entretanto, não te confies à inércia, atribuindo-lhes no mundo o dever que te cabe.

A usina, conquanto poderosa, não realiza a tarefa da lâmpada.

O oceano, apesar de gigantesco, não atende ao ministério da fonte humilde.

* * *

Eles, os obreiros da luz, oferecem planos admiráveis; contudo, aguardam mãos prestimosas para que as boas obras se consolidem.

Auxiliam a enxergar a realidade, mas não dispensam olhos compassivos que adocem a revelação da verdade, para que a verdade não se faça fogo destruidor.

Ajudam a conhecer as pessoas e os problemas, mas pedem ouvidos caridosos que saibam discernir, a fim de que o mal não se levante por flagelo da vida alheia.

Inspiram ideias edificantes, mas rogam corações generosos que lhes detenham a luz.

Apresentam as áreas destinadas à produção do melhor; no entanto, solicitam pés que as procurem na direção do serviço.

* * *

Não te digas sem mediunidade para a edificação a fazer, porquanto, se estivéssemos apenas em função de meros fenômenos endereçados à inteligência, não passaríamos de agentes menos responsáveis, sustentando um parque de diversões.

Através da onda de nossos pensamentos, podemos estar em contato incessante com a onda dos pensamentos superiores que vertem dos Mensageiros do Cristo, sabendo, assim, conscientemente, a extensão do trabalho que nos compete.

Seja onde for, onde estiveres, és instrumento do bem, chamado à prestação de serviço segundo as necessidades dos que te cercam.

Não te faças, desse modo, indiferente ou desavisado, pois, conforme a antiga sabedoria, "tudo o que fizermos sem fé ou sem boa vontade, sem esforço ou sem sacrifício, não tem qualquer valor ou merecimento, nem neste mundo, nem no outro".

84
Abençoa também

Reunião pública de 18/11/60
Item 175

Diante das vozes e dos braços que te amparam na enfermidade, coopera com os instrumentos da cura, abençoando a ti mesmo.

Em qualquer desajuste orgânico, não condenes o corpo.

O operário deve amar enternecidamente a máquina que o ajuda a viver, lubrificando-lhe as peças e harmonizando-lhe os implementos, se não deseja relegá-la à inutilidade e à secura.

* * *

Abençoa teu coração. É o pêndulo infatigável, marcando-te as dores e as alegrias.

Abençoa teu cérebro. É o gabinete sensível do pensamento.

Abençoa teus olhos. São companheiros devotados na execução dos compromissos que a existência te confiou.

Abençoa teus ouvidos. São guardas vigilantes que te enriquecem o entendimento.

Abençoa a tua língua. É o buril que te auxilia a plasmar toda frase edificante que te escapa da boca.

Abençoa teu estômago. É o servo que te alimenta.

Abençoa tuas mãos. São antenas no serviço que consegues realizar.

Abençoa teus pés. São apoios preciosos em que te sustentas.

Abençoa tuas faculdades genésicas. São forças da vida pelas quais recebeste no mundo o aconchego do lar e o carinho de mãe.

* * *

Eis que Deus te abençoa, a cada instante, no ar que respiras, no pão que te nutre, no remédio que refaz, na palavra que anima, no passe que alivia, na oração que consola...

Junto das células doentes ou fatigadas, não empregues o fogo da tensão nem o corrosivo do desespero.

Abençoa também.

85
Diante dos outros

Reunião pública de 25/11/60
Item 302

Na trilha humana, é indispensável que consideres os problemas dos outros.

Há quem deseje seguir no ritmo de teus modos; contudo, tem os pés claudicantes.

Amigos vários tentam escutar determinada peça musical com a tua acuidade auditiva, mas carregam com eles os tímpanos semimortos.

Companheiros diversos queriam ver a Terra com a precisão de teus olhos; no entanto, sofrem deficiências da miopia.

Esse pretende comer de teu prato suculento; entretanto, guarda o estômago doente, pedindo canja leve.

Outro aspira a partilhar-te o labor manual; todavia, mostra o braço hemiplégico, envolvido em tipoia.

Aquele outro procura recordar com a segurança de tuas reminiscências; contudo, traz o cérebro dominado pela amnésia.

* * *

Assim também, na caminhada espiritual, surpreenderás criaturas irmãs que não podem comungar-te, de pronto, a faixa de experiência.

Estimariam sentir como sentes e raciocinar como raciocinas; no entanto, respiram ainda nos começos difíceis ou nas provas regenerativas da inibição.

Tanto quanto não podes exigir passo firme a pernas enfermas, nem pensamento certo a cabeça louca, não deves esperar que o próximo te abrace a convicção ou te adote o ponto de vista.

Cada pessoa vê a paisagem da condição em que se coloca.

Conflito acalentado gera conflitos novos.

Discórdia mantida é processo de crueldade.

Indubitavelmente, a Doutrina Espírita, com a bênção de Jesus, não te pede para aplaudir a ilusão dos outros, mas, em toda a parte, é apelo vivo das Esferas mais Altas a que aprendamos e trabalhemos, instruindo e servindo, para que a verdade, dosada em amor, se faça luz que auxilie os outros, desfazendo a ilusão.

86
Pediste

Reunião pública de 28/11/60
Item 291, perg. 19

Diante dos entes amados que brilham nas Esferas Superiores, rogaste as oportunidades de trabalho que hoje te felicitam a senda.

Revisaste erros e acertos e, de alma confrangida no inventário das próprias culpas, suplicaste o recomeço na experiência terrestre.

Pediste o berço dorido, a fim de que os obstáculos do reinício te assinalassem os impositivos do reajuste, e achaste as provas da infância, que te serviram de ensinamento.

Pediste a carência dilatada, suscetível de arrancar-te a descontrolada paixão pelo desperdício, e acordaste no lar infestado de lutas que te não deixa margem a fantasias.

Pediste recursos contra a vaidade que te petrificava os sentimentos no orgulho, e detiveste a condição social torturada e difícil que te obriga a entesourar obediência e conformação.

Pediste o reencontro com as vítimas e os cúmplices das tuas ações reprováveis, de modo a resgatares clamorosos débitos contraídos, e recuperaste a companhia deles na presença dos familiares-problemas e dos companheiros-enigmas que te compelem às disciplinas do coração.

Pediste remédio contra as inclinações infelizes que muitas vezes te situaram no desequilíbrio da emoção e da mente e obtiveste a doença física transitória que, pouco a pouco, te infunde as alegrias da cura espiritual.

* * *

Estudantes na escola da Terra, todos pedimos aos instrutores da vida as riquezas da educação.

Contudo, em pleno curso do necessário aperfeiçoamento, choramingamos e reclamamos à maneira de desertores inveterados.

Desconfia de todo amigo encarnado ou desencarnado que te alimente a ilusão com vantagens e privilégios, facilidades e louvaminhas.

Professor menos responsável, que favorece capricho e cola a pretexto de amor, apenas consegue rebaixar o aprendiz e estragar a lição.

87
Enfermagem do Espírito

Reunião pública de 2/12/60
Item 254, perg. 6

Observa o recinto onde repousa, em tratamento, o enfermo que amas.

Enterneces-te ao vê-lo vencido, aniquilado, sofredor...

Nem de leve poderias admitir a leviandade da visita que lhe invocasse a atenção fatigada, para questões inoportunas.

Não compreenderias a atitude de quem buscasse converter tanta dor em razão para motejo.

Agradeces para ele o auxílio e o respeito, o remédio e o silêncio...

* * *

Vê-se o Espírito desencarnado, em perturbação, nas mesmas circunstâncias...

Ajuda-o, nas reuniões íntimas de oração, facilmente conversíveis em gabinetes curativos da alma.

Não lhe exponhas o martírio mental à curiosidade ou ao gracejo.

Ampara-o com discrição e bondade.

É nosso irmão, acima de tudo.

E o necessitado de hoje lembra-nos que é possível que sejamos nós o necessitado de amanhã.

88
Mediunidade e trabalho

Reunião pública de 5/12/60
Item 301, perg. 10

Diante das obrigações naturais que a mediunidade impõe em sua prática, muitos companheiros trazem à baila desculpas diversas que lhes justifiquem a fuga, embora demonstrem vivo interesse na aquisição de poderes psíquicos.

Afirmam que a tarefa exige muito trabalho; entretanto, ninguém consegue cultivar viçoso canteiro de couves sem dispensar-lhe assistência contínua.

Alegam que o assunto é quase sempre tumultuado por muitas criaturas ignorantes, esquecendo-se de que eles mesmos, sem os benefícios da escola, estariam compulsoriamente entre elas.

Asseveram que a realização reclama longo tempo; contudo, a obtenção de um título especial, em qualquer profissão, solicita a experiência de anos a fio.

Queixam-se de que o serviço atrai o sarcasmo de muita gente, mas se o homem foge de semear, porque a lama da gleba lhe macule superficialmente os braços, ninguém lavraria a terra.

Clamam que a obra grava pesados tributos em disciplina; no entanto, apagado trapezista, para impressionar favoravelmente num parque de diversões, é compelido a ginástica e exercícios incessantes.

Dizem que o mandato pede excessiva renúncia; no entanto, sem o sacrifício dos operários do progresso, as máquinas poderosas, que assinalam a civilização da atualidade, não existiriam no mundo.

* * *

Não admitas que possa haver construção útil sem estudo e atividade, atenção e suor.

O diamante é habitualmente retirado de terreno agressivo.

Humilde folha de alface, para servir anônima, cresce fazendo força.

Mediunidade na lavoura do espírito é igual a planta nobre na lavoura comum.

Deus dá a semente, mas, para que a semente produza, não prescinde do esforço de nossas mãos.

89
Reforma íntima

Reunião pública de 9/12/60
Item 350

Quando a Espiritualidade sublime te clareou por dentro, passaste a mentalizar perfeição nas atitudes alheias. Entretanto, buscando aqui e ali padrões ideais de comportamento, nada mais recolheste que necessidades e negações.

Irmãos que te pareciam sustentáculos da coragem tombaram no desânimo, em dificuldades nascentes; criaturas que supunhas destinadas à missão da bênção, pela música de carinho que lhes vibrava na boca, amaldiçoaram leves espinhos que lhes roçaram a vestimenta; companheiros que se afiguravam troncos na fé resvalaram facilmente nos atoleiros da dúvida, e almas que julgavas modelos de fidelidade e ternura abandonaram-te o clima de esperança nas primeiras horas da luta incerta.

Sofres, exiges, indagas, desarvoras-te...

Trilhando o caminho da renovação que te eleva, solicitas circunstâncias e companhias em que te escores para seguir adiante; contudo, se estivesses no plano dos amigos perfeitos, não respirarias na escola do burilamento moral.

O Universo é governado por leis infalíveis.

"Dai e dar-se-vos-á" — ensinou Jesus.

Possuímos, desse modo, tão somente aquilo que damos.

Se aspiras a receber a simpatia e a abnegação do próximo, começa distribuindo simpatia e abnegação.

O entendimento na Doutrina Espírita esclarece-nos a cada um que é loucura reclamar a santificação compulsória e, sim, que é dever simples de nossa parte operar a própria transformação para o bem, a fim de que sejamos para os outros, ainda hoje, o que desejamos sejam eles para nós amanhã.

É possível que estejas atravessando a estrada longa da incompreensão, pedregosa e obscura.

Façamos, porém, suficiente luz no próprio íntimo, e a noite, por mais espessa, será sempre sombra a fugir de nós.

90
Benfeitores desencarnados

Reunião pública de 12/12/60
Item 267, subitem 17

Perceberás, sem dificuldade, a presença deles.

Onde as vozes habituadas a escarnecer se mostram a ponto de condenar, eles falam a palavra da compaixão e do entendimento.

Onde as cruzes se destacam, massacrando ombros doridos, eles surgem, de inesperado, por cireneus silenciosos, amparando os que caíram em desagrado e abandono.

Onde os problemas repontam, graves, prenunciando falência, eles semeiam a fé, cunhando valores novos de trabalho e esperança.

Onde as chagas se aprofundam, dilacerando corpo e alma, eles se convertem no remédio que sustenta a força e restaura a vida.

Onde o enxurro da ignorância cria a erosão do sofrimento, no solo do Espírito, eles plantam a semente renovadora da elevação, regenerando o destino.

Onde os homens desistem de auxiliar, eles encontram vias diferentes de ação para a vitória do Amor Infinito.

* * *

Anseias pela convivência dos benfeitores desencarnados com residência nos Planos Superiores e tê-los-ás contigo, se quiseres.

Guarda, porém, a convicção de que todos eles são agentes do bem para todos e com todos, buscando agir por meio de todos, em favor de todos.

Disse Jesus: "Quem me segue não anda em trevas".

Se acompanhas os bons Espíritos que, em tudo e por tudo, se revelam companheiros fiéis do Cristo, deixarás para sempre as sombras da retaguarda e avançarás para Deus sob a glória da luz.

Índice geral[2]

A
Academia da alma
  família e – 53
  matérias da – 53
Ação humana
  conjugação de fatores e – 36
Adversidades
  esperança divina e – 80
Aflição
  passado comprometedor e – 57
  reajuste e – 14
  sentimento e * alheia – 14
  transgressões humanas e – 14
Aflito
  socorro ao – 14
Alienação mental
  mediunidade e – 43
Alienado mental
  exortação espiritual e – 70
Amanhã ver também Futuro
  conceito de – 22
Amigo espiritual
  pedidos ao – 52
Aparições de Jesus
  Paulo de Tarso e – 82
  Saulo de Tarso e – 17
  sobrevivência da alma e – 82
Apóstolos de Jesus
  renúncia e – 8
  sacrifícios dos – 31
  sofrimento e – 8
Aptidão
  conceitos de – 54
  experiência e – 54
Argumentação
  força do exemplo e – 6
  Jesus e – 6
  mudança do modo de pensar e – 6
Assistência espiritual
  pedidos de – 52
Ateus
  fenômenos mediúnicos e – 78
Atitude(s)
  circunstâncias da vida e – 40
  fala e – 40
  médiuns e as três – 15
Atos dos Apóstolos
  obsessão coletiva e – 66
Audição
  emprego transviado da – 43

B
Baghavad Gita
  fenômeno mediúnico e – 26
Bem
  amizade e – 15
  avaliação do futuro do – 57
  doação do * verdadeiro – 24
  dor alheia e – 15
  estudo e – 15
  fé e – 15
  responsabilidade e – 15
  sociedade e – 15
  trabalho e – 15
Benfeitor desencarnado
  presença do – 90
  sofrimento e – 90
Boa-Nova ver também Evangelho
  médiuns da – 75
  sobrevivência da alma e – 82
Boa-fé
  cobiça e – 56
  ilusões e – 56
  orgulho e – 56
  vício e – 56

---
[2] N.E.: Remete ao número do capítulo.

Índice geral

Bons Espíritos
   auxílio espontâneo e – 51
   enganos e – 51
   ensinamentos dos – 51

C

Caído
   diante do – 74
Caifás
   paranoia e – 18
Campo mental
   apelos do – 38
Caridade
   preço da vitória e – 68
   tolerância e – 35
Casa(s) espírita(s)
   companheiros da – 10
   multiplicação das – 73
   união das – 73
Causa e efeito
   Jesus e a lei de – 64
Cérebro
   fenômeno e – 78
Cérebro eletrônico
   problemas do coração e – 39
Clarividência
   diferenças na – 47
   enganos da – 47
   interpretação da – 47
   Zacarias e – 17
Coca
   cultivadores de – 49
Colombo, Cristóvão
   observação científica e – 5
Comunicação espiritual ver Comunicação mediúnica
Comunicação mediúnica
   linguagem primitiva do Espírito na – 45
   pensamento e – 38
Condenação
   autoanálise e – 56
Conhecimento
   consequências da falta de – 11
   responsabilidade e – 8
   trabalho e – 8
Construção útil
   exigências para – 88

Consulta espiritual
   tesouros ocultos e – 49
Conversação
   sintonia mental e – 27
Convicção
   argumentação e mudança de – 6
Cook, Florence
   fenômenos físicos e – 29
Coração
   fenômeno e – 78
Corpo físico
   bênção divina e – 84
   fenômenos do – 78
   função dos órgãos do – 84
   necessidades do – 38
Criador
   Amor infinito e – 60
   Bondade infinita e – 60
   Compaixão infinita e – 60
   correção e – 60
   Doutrina Espírita e – 60
   Sabedoria infinita e – 60
Criança
   Jesus e – 75
Criminoso
   sociedade humana e – 64
   tolerância e – 67
Cristianismo Redivivo
   Espiritismo e – 35
Cristo ver Jesus
Crookes, William
   Espíritos elevados e – 37
   pesquisas de – 37
Culpado
   diante do – 74
Cura
   obsessão e – 72
   oração e – 14
Curiosidade
   deslumbramento e – 5
   progresso científico e – 5

D

Davis, Andrew Jackson
   mediunidade ativa e – 29
Defeito do próximo
   esquecimento do – 46

Índice geral

Desânimo
  marcha do progresso e – 56
Descrença
  alimentação espiritual e – 24
  influência espiritual e – 24
  inteligências desencarnadas e – 24
  vida celestial e – 24
  vida fora da matéria e – 24
Desejo de servir
  manifestação do – 22
  observação inoperante e – 22
  ociosidade e – 22
Desencarnado *ver também* Espírito
  influência do – 76
  luta pelo bem e – 76
  proximidade do – 76
Desenvolvimento mediúnico
  aprimoramento da individualidade e – 41
Desertores(as)
  administradores – 34
  avarentos – 34
  cientistas – 34
  mães – 34
  médicos – 34
  médiuns – 34
  ricos – 34
  trabalhadores – 34
  vaidosos –34
Desespero
  palavra de apaziguamento e – 70
Destino
  livre arbítrio e – 76
Deus
  definição de – 65
Dever espírita
  instrução e – 37
Dinheiro *ver* Riqueza
Dívida
  benefício da moratória e – 42
Divina Sabedoria
  princípios de violência e – 59
  reabilitação espiritual e – 25
Doente *ver* Enfermo
Dons espirituais
  diversidade dos – 48

Dor
  auxílio do Alto e – 68
  compreensão, remédio e – 70
Doutrina Espírita *ver também* Espiritismo
  alunos ociosos e – 37
  ciência curativa da alma e – 72
  condições dos estudantes da – 37
  Cristianismo Redivivo e – 35
  divulgação da – 9
  egoísmo e – 15
  entendimento da – 89
  Evangelho e – 69; 75
  exercício da profissão e – 3
  ilusão dos outros e – 85
  Jesus e – 75
  médiuns e – 75
  orgulho e – 15
  prática do bem e – 15
Doutrinador
  familiares e – 30

E

Edificação espiritual
  cronologia da mente e – 29
  fases da – 29
Educação mediúnica
  discernimento e – 62
Egoísmo
  aflições alheias e – 42
  amizade e – 15
  dor alheia e – 15
  Doutrina Espírita e – 15
  equipe e – 15
  estudo e – 15
  fé e – 15
  responsabilidade e – 15
  sociedade e – 15
  trabalho e – 15
Elevação
  boas obras e – 25
Energia mental
  sublimação da – 16
  vontade e – 2
Energia psíquica *ver* Energia mental
Enfermidade
  cientistas ateus e – 67
  farmácia de Deus e – 14

Índice geral

instrumentos de cura e – 84
inteligências sensatas e – 67
Lei divina e – 14
mediunidade curativa e – 67
mediunidade e – 67
religiosos extremistas e – 67
Enfermo
  compadecimento e – 67
  diante do – 74
  passe magnético e – 70
Equipe mediúnica
  diversidade de médiuns e – 58
  formas de cooperar na – 58
  harmonia na – 58
Erro
  oportunidade de serviço e – 42
Escárnio
  diante de quem sofre – 74
Escrita
  identificação pessoal e – 40
  julgamento pela – 40
Escritor
  exemplos e – 30
Escrúpulo
  preguiça e – 70
Esperança
  louvando – 80
Espírita
  atitudes corretas do – 35
  profissões e – 3
Espírita cristão
  características do – 7
Espírita imperfeito
  características do – 7
  médiuns e – 7
Espírita verdadeiro
  Allan Kardec e – 7
  atitudes do – 10
  características do – 7
Espiritismo *ver também* Doutrina Espírita
  Allan Kardec e – 48
  cem anos de – 1
  Cristianismo e – 48
  entendimento do – 89
  estudiosos do – 1
  estudo da substância do – 37

Espiritismo científico
  Espiritismo social e – 1
  Evangelho de Jesus e – 1
Espiritismo social
  Espiritismo científico e – 1
  Evangelho de Jesus e – 1
Espírito *ver também* Desencarnado
  estímulo e – 38
  experiência e – 38
  inspiração e – 38
Espírito(s) perturbado(s)
  alívio aos – 55
  origens dos – 55
  reconhecimento dos – 55
  respeito com – 55
  reuniões íntimas e – 87
Espírito de luz
  criminosos e – 19
  homens cruéis Espíritos da luz – 19
  virtudes do – 19
Espírito elevado
  estudo da Doutrina e – 37
  William Crooks e – 37
Espírito generoso
  amparo do – 8
Espírito imperfeito
  utilidade do trabalho do – 25
Espírito sábio
  livre arbítrio e – 63
Espírito superior
  fase de entendimento e – 29
  sintonia mediúnica e – 61
Estágio evolutivo
  música e – 5
  revelações e – 5
Estudo
  dever espírita e – 37
  Espíritos elevados e – 37
  jogo das aparências e – 37
Evangelho *ver também* Boa-Nova
  médiuns do – 75
  obsessão e – 18
  sobrevivência da alma e – 82
Experiência
  conceitos de – 54

F
Faculdade edificante
  elevação espiritual e – 30

Índice geral

Faculdade mediúnica *ver* Mediunidade
Família *ver também* Lar
  academia da alma – 53
  escola do coração e – 53
Faminto
  diante do – 74
Fanatismo
  mediunidade e – 43
  Paulo de Tarso e – 32
Fascinação
  médium e – 9
Fase de entendimento
  Espíritos superiores e – 29
Feiura física
  abuso do prazer e – 56
Fenômeno anímico
  encarnados e – 78
Fenômeno do corpo físico
  cérebro e – 78
  coração e – 78
  laringe e – 78
  olhos e – 78
  pulmões e – 78
Fenômeno físico
  Allan Kardec e – 29
  Daniel Dunglas Home e – 29
  Florence Cook e – 29
  Hydesville e – 29
  irmãos Davenport e – 29
  irmãs Fox e – 29
  mensagens rápidas e – 29
Fenômeno mediúnico
  Allan Kardec e – 26
  Arjuna e – 26
  ateus e – 78
  Baghavad Gita e – 26
  caçadores de – 37
  convicções e – 78
  Dez Mandamentos e – 26
  Espírito encarnado e – 78
  Jesus e – 26
  Krishna – 26
  livros sagrados e – 26
  Moisés e – 26
  Sidarta e – 26
  sobrevivência da alma e – 78
  Zoroastro e – 26

Flagelo da humanidade
  ignorância e – 11
Fome
  consequências da – 11
  saneamento da – 11
Força mediúnica *ver* Mediunidade
Futuro *ver também* Amanhã
  abuso e – 57
  atuação no hoje e – 57
  contração de dívida e – 57
  fuga do dever e – 57
  intolerância e – 57
  renovação presente e – 57

G

Gabriel, anjo
  aparição de – 17
  Maria de Nazaré e – 17

H

Home, Daniel Dunglas
  fenômenos físicos e – 29
Hydesville
  Espírito Charles e – 29
  irmãs Fox e – 29

I

Identificação pessoal
  ação e – 40
  escrita e – 40
  linguagem e – 40
Ignorância
  consequências da – 11
  dificuldades em sanar – 11
  mediunidade e – 43
Ilusão
  suplícios da alma e – 80
Imperfeição(ões)
  cura da – 28
  mediunidade e – 42
  modos de combater – 25
Incrédulos
  advogados – 33
  artistas – 33
  exigências dos – 33
  legisladores – 33
  materialismo e – 33

Índice geral

médicos – 33
operários – 33
professores – 33
tolerância com – 33
Influência
   afinidade e – 2
   pensamento e – 2
   trabalho e – 61
Influência espiritual
   desencarnados e – 76
   educação e – 21
   trabalho e – 21
Influenciação
   ondas mentais e – 81
   palavra e – 81
Inimigo
   amor ao – 75
   respeito ao – 75
Instrutor espiritual
   dever que nos cabe e – 83
   mãos prestimosas e – 83
   médium audiente e – 83
   médium vidente e – 83
   obreiros do bem e – 83
   obreiros indiferentes – 83
   trabalhador de boa vontade e – 83
Inteligência superior *ver* Espírito superior
Intercâmbio mediúnico
   aptidão e – 54
   experiência e – 54
   perguntas indiscretas e – 45
   tempo dedicado ao – 65
Intuição
   conceito de – 79
   mediunidade e – 79
Irmãos Davenport
   fenômenos físicos e – 29
Irmão-problema
   características do – 50
   caridade para com – 50
   desequilíbrio e – 50
   encarnado e desencarnado – 50
   Espíritos infelizes e – 50
   Espíritos maus e – 50
   razões da existência de – 50
   utilidade do – 50
   zombaria e – 50

Irmãs Fox
   Espírito Charles e – 29
   fenômenos de Hydesville e – 29
   fenômenos físicos e – 29

J
Jesus
   aflitos e – 10
   amor aos inimigos e – 75
   aparição e – 17; 82
   argumentação de – 6
   atitudes de – 10
   brilhe a vossa luz e – 62
   companheiros de crucificação e – 18
   competições e – 39
   Consolador prometido e – 75
   convicção e – 39
   convite à simplicidade e – 75
   crianças e – 75
   culto do Evangelho e – 13
   dever cumprido e – 75
   diante do povo – 10
   ensino da verdade e – 24
   exemplos de – 35
   Herodes e – 18
   humilhação e – 75
   lei de causa e efeito e – 64
   lírios do campo e – 75
   livre arbítrio e – 63
   medianeiro divino – 13
   mediunidade e – 17
   mito da chegada de – 35
   obsessão e – 17; 18
   ociosidade e – 75
   opinião terrena sobre – 37
   palavras e – 39
   progresso e fidelidade a – 39
   reencarnação e – 75
   riqueza e – 39
   roteiro certo e – 63
   seguidores e – 90
   sublimação da inteligência e – 39
   telepatia e – 17
   vosso tesouro e – 49
João Batista
   degola de – 18
Judas
   obsessão e – 18

Índice geral

K
Kardec, Allan
  ensinos de Jesus e – 48; 66
  espíritas verdadeiros e – 7
  fenômenos físicos e – 29
  fenômenos mediúnicos e – 26
  instrução dos espíritas e – 63
  multiplicação de Casas espíritas e – 73

L
Lar *ver também* Família
  academia da alma e – 53
Laringe
  fenômeno e – 78
Lázaro
  aproveitamento das horas e – 80
Lei divina
  julgamento e – 12
Linguagem
  identificação pessoal e – 40
  julgamento pela – 40
  primitiva do Espírito comunicante – 45
Livre arbítrio
  ações de Jesus e – 63
  destino e – 76
  Espíritos sábios e – 63
  obsessão e – 64
Livro
  importância do – 26
  fenômenos mediúnicos e – 26
Loucura
  prática da mediunidade e – 18
Luz
  neutralidade da – 2

M
Magnetismo
  bodas de Caná e – 17
Mal
  avaliação do futuro do – 57
Maldade
  mediunidade e – 43
Manifestação espiritual
  utilidade da – 48
Mãos
  emprego transviado das – 43
Marconi, Guilherme
  observação científica e – 5

Maria de Magdala
  obsessão e – 18
Médium auditivo
  encarnados sofredores – 30
Médium fascinado
  comportamentos do – 9
Médium inesquecível
  Paulo de Tarso – 32
Médium orgulhoso
  comportamento do – 13
  crítica e – 13
  desânimo e – 13
Médium passista
  trabalho de cooperação e – 30
Médium vidente
  sofrimento alheio e – 30
Médium(uns)
  ajudante do mundo espiritual – 44
  apoio e compreensão aos – 20
  aprimoramento e redenção dos – 20
  assimilação de influência e – 81
  atuação com segurança e – 36
  companheiros faltosos e – 79
  conceito de – 36
  condição de – 68
  desejo de ser – 36
  desertores – 77
  disciplina do tempo e – 20
  disponibilidade e – 20
  Doutrina Espírita e – 9
  elevação da humanidade e – 77
  enfermidade e – 20
  exigências ao – 36
  facilidades materiais e – 77
  fidelidade, trabalho e – 28
  gentileza com o Espírito e – 44
  idolatria e – 31
  intermediário do Senhor – 28
  interpretação – 78
  julgamento – 79
  livre arbítrio e – 9
  mulher desprezível e – 79
  passado, futuro e – 68
  possibilidade mediúnica e – 48
  preocupação fundamental do – 31
  pretérito sombrio e – 20
  problemas do próximo e – 79

Índice geral

reprovação do mundo e – 79
responsabilidade do – 31
sobrevivência e – 20
sofredores e –79
tratamento especial e – 31
Médium bom
   atitudes do – 13
Médium desertor
   benfeitores espirituais e – 79
Médium espírita
   condição da desencarnação do – 31
Médium irresponsável
   campo doutrinário e – 9
   desequilíbrio mental e – 9
   deveres familiares e – 9
   fascinação e – 9
   talento mediúnico e – 9
Médium perfeito
   Terra e – 42
Médium transviado
   deserção do trabalho e – 77
   medo de errar e – 77
Mediunidade *ver também* Prática mediúnica
   admiradores de Jesus e – 4
   alienação mental e – 43
   analfabeto e – 16
   ausência no bem e – 71
   caridade e educação da – 16
   discernimento e – 62
   discípulos e – 4
   domínio das paixões e – 41
   doutores do Templo de Jerusalém e – 4
   Doutrina Espírita e – 18
   egoísmo e – 71
   enfermos e – 4; 67
   estudiosos da – 1
   finalidade da – 77
   formas de engrandecer – 54
   ignorância, superstição e – 43
   imperfeição e – 42
   impulsos e – 2
   inspiração e – 71
   interpretação e – 79
   Jesus e – 4
   João Batista e – 4
   Judas e – 4
   loucura e prática da – 18
   melhoria dos conhecimentos e – 62
   metapsíquica e – 17
   ministério do bem e – 54
   missionário do bem e – 16
   motivos para fuga à – 60
   Nazarenos e – 4
   necessidades morais e – 1
   neutralidade da – 16
   Nicodemos e – 4
   obrigação e – 65
   orgulho e – 13
   Parapsicologia e – 17
   patrimônio comum – 21
   Paulo de Tarso e – 32; 48
   pensamento e – 2
   perante a – 4
   percepção psíquica e – 43
   personalidade humana e – 16
   prática da – 13
   preguiçoso e – 16
   preparação do solo e – 41
   prestação de auxílio e – 70
   privilégios e – 31
   resultados seguros e – 36
   sentidos transviados e – 43
   serviços do solo e – 41
   sobrevivência da alma e – 82
   sublimação da – 16
   talento divino – 65; 71
   tarefas especiais e – 81
   tipos diferentes de – 30
   trabalho redentor e – 28
   universalidade da – 38
   uso da – 12
   Vida gloriosa de Jesus e – 17
Mediunidade ativa
   Andrew Jackson Davis e – 29
   irmãs Fox e – 29
   Swedenborg e – 29
Mediunidade curativa
   Medicina criteriosa e – 67
   solidariedade e – 67
Mediunidade falante *ver* Psicofonia
Mensageiro espiritual
   identificação do – 40
Moribundo
   oração e – 70

Índice geral

Música
  estágio evolutivo e – 5
Mutilado
  diante do – 74

N

Natureza
  esforço da – 28
  trabalho e – 8

O

Obreiro do bem
  instrutores espirituais e – 83
  mediunidade e – 83
  sintonia superior e – 83
Obreiro indiferente
  instrutores espirituais e – 83
Observação científica
  Colombo e – 5
  Marconi e – 5
  Pasteur e – 5
  Planté e – 5
Obsessão
  Allan Kardec e – 66
  Caifás e – 18
  causa da – 23
  conhecimento superior e – 72
  crucificação e – 18
  cura e – 72
  Doutrina Espírita e – 18
  Evangelho de João e – 66
  Evangelho de Marcos e – 66
  Evangelho de Mateus e – 66
  Evangelho de Lucas e – 66
  Evangelhos e – 18
  Jesus e – 17; 18
  Judas e – 18
  livre arbítrio e – 64
  Maria de Magdala e – 18
  natureza da – 72
  Novo Testamento e – 66
  paciência e – 23
  palavra renovadora e – 70
  Pedro, o apóstolo, e – 18
  Pilatos e – 18
  renovação própria e – 72
Obsessão coletiva
  Atos dos Apóstolos e – 66
Obsessão complexa
  Evangelho de Mateus e – 66
Obsessão direta
  Evangelho de Lucas e – 66
Obsessor
  conceito de – 23
  desafeto desencarnado e – 23
  familiar – 23
  paciência, trabalho e – 23
  reencarnado – 23
Obsidiado
  atitude diante do – 64
  socorro ao – 64
  obsessor e – 64
Ociosidade
  desejo de aprender e – 22
  desejo de servir e – 22
Ofensor
  testes de virtude e – 68
Olhos
  fenômeno e – 78
Ondas mentais
  palavra e – 81
Oração
  cura e – 14
Orgulho
  amizade e – 15
  deficiências alheias e – 178
  dor alheia e – 15
  doutrina espírita e – 15
  equipe e – 15
  estudo e – 15
  falência intelectual e – 56
  fé e – 15
  responsabilidade e – 15
  sociedade e – 15
  trabalho e – 15

P

Paixões inferiores
  consequências das – 76
Palavra
  atitude e – 40
  indução e realizações da – 27
  influência da – 81
  Jesus e – 27
  professor e – 27

Índice geral

Sócrates e – 27
valores dados às – 27
Palavra negativa
    atuação do médium e – 58
    palestra doutrinária e – 58
Palestrante
    indulgência no lar e – 30
Parente difícil
    solvência de compromissos e – 68
Pasteur, Louis
    observação científica e – 5
Paulo de Tarso
    aparição de Jesus e – 82
    apostolado de – 32
    caridade e – 19
    deficiência humana – 19
    fanatismo e – 32
    médium inesquecível – 32
    mediunidade e – 48
    Novo Testamento e – 32
    procedimentos cristãos de – 32
    renovação íntima e – 32
Paulo, o apóstolo, *ver também* Paulo de Tarso
    obsessão e – 18
Pensamento
    cartão de visita e – 2
    cérebro e – 2
    reinos do universo e – 71
    vela acesa e – 2
Pensamentos da humanidade
    influência espiritual e – 38
Pequenas coisas
    utilidade das – 21
Pessimismo
    esperança e – 80
Pilatos
    obsessão e – 18
Plano espiritual
    períodos de intervenção do – 29
Poder curativo
    amor de Deus e – 67
Poder mediúnico *ver* Mediunidade
Possessão
    Evangelho de Marcos e – 66
Prática da caridade
    renúncia e – 65

Prática mediúnica *ver também* Mediunidade
    atividades do cotidiano e – 44
    coração, razão e – 62
    cota de esforço e – 65
    desculpas para deserção da – 88
    discernimento na – 62
    disciplina e – 88
    dúvida e – 70
    enfermidade e – 70
    obrigações que a * impõe – 88
    passe magnético e – 70
    renúncia e – 88
Prece *ver* Oração
Preconceito
    revelações espirituais e – 59
Pregação
    exemplos e – 69
    testemunho e – 69
Premonição
    queda moral de Pedro e – 17
Problema alheio
    amnésia e – 85
    cegueira e – 85
    diante dos – 85
    enfermidade e – 85
    surdez e – 85
Produção mediúnica
    influências na – 36
Profissão
    atitudes diante o exercício da – 12
    espírita e exercício da – 3
Progresso
    comunhão com – 46
    contribuição de todos e – 5
    desânimo e marcha do – 56
Psicofonia
    pensamento e – 27
Pulmões
    fenômeno e – 78

Q
Queda espiritual
    enganos e – 56

R
Raciocínio
    estágio evolutivo e – 85
    convicção e – 85

Índice geral

Reabilitação espiritual
  divina Sabedoria e – 25
Realidade
  interpretação pessoal da – 29
Reencarnação
  Jesus e – 75
  preconceitos e – 59
  revelações espirituais e – 59
  rogativa e – 86
Reforma íntima
  atividades no bem e – 21
  circunstâncias ideais e – 89
  comportamento e – 89
  desânimo e – 89
  dúvida e – 89
  Maria de Magdala e – 4
  Paulo de Tarso e – 4; 40
  Pedro, o apóstolo, e – 4
Religião espírita *ver também* Espiritismo
Renúncia
  Apóstolos de Jesus e – 8
  Maria de Magdala e – 4
  Paulo de Tarso e – 4
  Pedro, o apóstolo, e – 4
Reunião mediúnica
  cooperação com – 58
Revelação(ões) espiritual(ais)
  condições evolutivas e – 59
  consequências do suicídio e – 59
  destinação adequada da – 48
  estágio evolutivo e – 5
  preconceitos e – 59
  raciocínio próprio e – 59
  reencarnação e – 59
Riqueza
  lavoura do bem e – 39
Rogativa
  carência dilatada e – 86
  enfermidade e – 86
  familiares-problemas e – 86
  provas da infância e – 85
  recursos contra a vaidade e – 86

S
Salomão
  Jesus e – 75
Saulo de Tarso
  aparição de Jesus e – 17

Sedento
  diante do – 74
Semente
  cultivo da – 8
Sentidos transviados
  audição e – 43
  sexo e – 43
  tato e – 43
  visão e – 43
Serviço *ver* Trabalho
Sexo
  emprego transviado do – 43
Sintonia mediúnica
  dinamização de responsabilidade e – 61
  Espíritos superiores e – 61
Sintonia mental
  vontade e – 38
Sobrevivência da alma
  Boa-Nova e – 82
  Evangelho e – 82
  fenômenos mediúnicos e – 78
  Jesus e – 82
  mediunidade e – 82
Sociedades espíritas *ver* Casas espíritas
Sofredor
  diante do – 74
Sofrimento
  benfeitores desencarnados e – 90
  compreensão do * alheio – 80
Solidariedade
  enfermos e – 67
  oração e – 67
  passe magnético e – 67
Suicídio
  revelações espirituais e – 59
  vaidade e – 56
Superstição
  fanatismo e – 43
  mediunidade e – 43
Swedenborg, Emmanuel
  mediunidade ativa e – 29

T
Talento divino
  compositor e – 49
  escritor e – 49
  família e – 49

professor e – 49
valorização de si mesmo e – 49
Tarefa especial
  mediunidade e – 81
Tédio
  luta edificante e – 25
Telepatia
  Maria de Magdala e – 17
  premonição e – 17
Televisão
  clarividência e – 47
  ilusão visual e – 47
Tempo
  desprezo do – 21
Tesouro da vida
  amor materno e – 49
  inspiração musical e – 49
  inteligência e – 49
  palavra e – 49
Tesouro oculto
  consultas espirituais e – 49
  Espíritos esclarecidos e – 49
  usura e – 49
Tomadas mentais
  interesses do Espírito e – 38
Trabalhador
  interdependência do – 44
Trabalhador espírita
  estímulo ao – 73
Trabalhador espiritual
  igualdade do – 31
Trabalho
  conceito de – 65
  conhecimento e – 8
  hierarquia no – 61
  influência e – 61
  mediunidade e – 88
  médiuns transviados e – 77
  natureza e – 8

Trabalho redentor
  exigências do – 28

U

União
  conceito de – 73
  força do bem e – 46

V

Vaidade
  autoavaliação e – 42
  suicídio e – 56
Vampirismo
  Evangelho de Marcos e – 66
Verbo *ver* Palavra
Verdade
  revelação dosada da – 59
Viciado
  ajuda ao – 42
Vício
  fraqueza de sentimento e – 56
Vida
  exigências da – 16
Vida material
  facilidades na ilusão e – 86
Vidas passadas
  nós e – 69
Visão
  emprego transviado da – 43
  enganos da – 47
Vontade
  sintonia mental e – 38

Z

Zendavesta
  fenômeno mediúnico e – 26
  Zoroastro e – 26
Zoroastro
  Zendavesta e – 26

EDIÇÕES DE SEARA DOS MÉDIUNS

EDIÇÃO	IMPRESSÃO	ANO	TIRAGEM	FORMATO
1	1	1961	20.000	13x18
2	1	1973	10.000	13x18
3	1	1978	10.200	13x18
4	1	1983	10.200	13x18
5	1	1985	10.200	13x18
6	1	1988	15.200	13x18
7	1	1991	15.000	13x18
8	1	1993	10.000	13x18
9	1	1995	10.000	13x18
10	1	1997	6.000	13x18
11	1	1998	5.000	13x18
12	1	2000	5.000	12,5x17,5
13	1	2001	3.000	12,5x17,5
14	1	2003	5.000	12,5x17,5
15	1	2004	2.000	12,5x17,5
16	1	2005	3.000	12,5x17,5
17	1	2006	2.000	12,5x17,5
18	1	2007	3.800	12,5x17,5
18	2	2008	2.000	12,5x17,5
18	3	2008	3.000	12,5x17,5
19	1	2008	5.000	12,5x17,5
19	2	2009	4.000	12,5x17,5
19	3	2010	12.000	12,5x17,5
20	1	2013	3.000	14x21
20	2	2013	3.000	14x21
20	3	2013	1.000	14x21
20	4	2014	3.500	14x21
20	5	2014	3.000	14x21
20	6	2015	2.000	14x21
20	7	2016	4.000	14x21
20	8	2017	2.000	14x21
20	9	2017	3.000	14x21
20	10	2018	600	14x21
20	11	2018	1.500	14x21
20	12	2019	1.000	14x21
20	13	2019	1.000	14x21
20	14	2020	2.500	14x21
20	15	2022	2.300	14x21
20	16	2023	1.500	14x21
20	17	2024	1.500	14x21
20	18	2024	2.000	14x21

FEB editora
Livro espírita para um novo mundo
www.febeditora.com.br
@febeditoraoficial
@febeditora

Conselho Editorial:
Carlos Roberto Campetti
Cirne Ferreira de Araújo
Evandro Noleto Bezerra
Geraldo Campetti Sobrinho – Coord. Editorial
Jorge Godinho Barreto Nery – Presidente
Maria de Lourdes Pereira de Oliveira
Miriam Lúcia Herrera Masotti Dusi

Produção Editorial:
Elizabete de Jesus Moreira

Revisão:
Anna Cristina Rodrigues
Lígia Dib Carneiro

Capa:
Wallace Carvalho da Silva

Projeto Gráfico:
Rones José Silvano de Lima – instagram.com/bookebooks_designer

Diagramação:
Eward Bonasser Jr.

Foto de Capa:
http://www.shutterstock.com/Iakov Kalinin

Normalização Técnica:
Biblioteca de Obras Raras e Documentos Patrimoniais do Livro

Esta edição foi impressa pela Viena Gráfica e Editora Ltda., Santa Cruz do Rio Pardo, SP, com tiragem de 2 mil exemplares, todos em formato fechado de 140x210 mm e com mancha de 104x170 mm. Os papéis utilizados foram o Off white bulk 58 g/m² para o miolo e o Cartão 250 g/m² para a capa. O texto principal foi composto em fonte Adobe Garamond 12/15 e os títulos em Adobe Garamond 28/30. Impresso no Brasil. *Presita en Brazilo.*